HET DUISTERE GEHEIM VAN FREDERICK K. BOWER

Van Anthony Horowitz verschenen bij Facet

Alex Rider
Stormbreaker (eerder verschenen als Bolbliksem)
Point Blanc
Skeleton Key (eerder verschenen als Skeleton Key)
Eagle Strike (eerder verschenen als Adelaarsspel)
Scorpia
Ark Angel (eerder verschenen als De val van de Aartsengel)
Snakehead

De Kracht van Vijf
Raven's Gate (eerder verschenen als Ravenpoort)
Evil Star
Nightrise

De broertjes Diamant
De Malteser erfenis
Publieke vijand nummer twee
De jongen die te veel wist
De man die gewist was
Overleven op Krokodil-Eiland

Verhalen
Bangelijk
Horowitz Horror

Andere titels
Het duistere geheim van Frederick K. Bower
Het oma-complot
Grieselstate
Grieselstate II. De Graal van het Kwaad
De overstap
Duivel en Duivelsmaatje
Willem Tell (De kruisboog)
De honden van Aktaioon *(Griekse mythen en sagen)*
De tien vingers van Sedna *(Mythen en sagen uit de hele wereld)*

ANTHONY HOROWITZ

Het duistere geheim van Frederick K. Bower

VERTAALD DOOR
Jef van Gool

facet
Clavis Uitgeverij

De eerste druk van dit boek verscheen onder de titel Frederick K. Bower, etter. *De volgende negen drukken verschenen onder de titel* Daar ga je, Frederick K. Bower. *Nu heeft het boek de titel* Het duistere geheim van Frederick K. Bower, *die aansluit bij de originele, Engelse titel.*

Anthony Horowitz
Het duistere geheim van Frederick K. Bower

Elfde, herziene druk 2008

Omslagillustratie: Tony Ross
Omslagontwerp: Studio Clavis
Vertaling uit het Engels: Jef van Gool
Oorspronkelijke titel: *The sinister secret of Frederic K. Bower*
Oorspronkelijke uitgever: Arlington Books, Londen
Trefw.: rijkdom, verveling, pesten, geheim, detective
NUR 283
ISBN 978 90 5016 521 1
D/2008/9424/011

Dit boek is gedrukt op papier met een certificaat
van de Forest Stewardship Council,
die verantwoord bosbeheer stimuleert.

www.clavisbooks.com
www.anthonyhorowitz.com

Mixed Sources
Productgroep uit goed beheerde bossen
en andere gecontroleerde bronnen.
www.fsc.org Cert no. CU-COC-803902
© 1996 Forest Stewardship Council

ANTHONY HOROWITZ is een van de populairste en productiefste kinderboekenschrijvers van dit moment.

Hij is de auteur van de immens succesvolle Alex Rider-serie, waarvan wereldwijd al meer dan 10 miljoen exemplaren verkocht zijn. Met de serie over de veertienjarige superspion sleepte Anthony ook verschillende prijzen in de wacht. Het eerste boek over Alex Rider, *Stormbreaker*, is verfilmd met grote sterren als Ewan McGregor in de hoofdrollen.

Maar Anthony heeft nog veel meer boeken geschreven. De Kracht van Vijf, bijvoorbeeld, een reeks fantasythrillers. Daarin staan vijf jongeren centraal die de wereld moeten beschermen tegen het kwaad en verwikkeld raken in tal van bovennatuurlijke mysteries. De eerste drie boeken zijn al verschenen, de laatste twee delen moeten nog geschreven worden.

Anthony is ook de auteur van de reeks De broertjes Diamant en de boeken *Grieselstate*, *De Graal van het Kwaad* (*Grieselstate II*), *Duivel en Duivelsmaatje*, *De overstap*, *Het oma-complot* en *Het duistere geheim van Frederick K. Bower*, waarmee hij debuteerde.

Naast boeken schrijft Anthony ook scenario's voor televisieseries, waaronder *Midsomer Murders*, *Poirot* en *Foyle's War*.

Anthony is getrouwd met televisieproducent Jill Green en woont in Londen met zijn twee zoons, Nicholas en Cassian.

1 FREDERICK KENNETH BOWER

Frederick Kenneth Bower was een vreselijke etter. Een kwal, een rotzak, een monster aan wie werkelijk niets aardigs te ontdekken viel. Het allerergste was dat hij rijker was dan wie ook ter wereld, terwijl hij nog maar twaalf jaar oud was.

Hij woonde in een kast van een huis in de chicste buurt van Hampstead, de duurste wijk van Londen. Een huis met zeventien slaapkamers en evenveel badkamers, vijf eetkamers, een voetbalveld op twee hoog, een privébioscoop, twee zwembaden – één in het souterrain en één op het dak – en een massief gouden lift die alle etages met elkaar verbond. De tuin bij het huis was zo uitgestrekt dat er al heel wat tuinlieden in verdwenen waren zonder enig spoor achter te laten, opgeslokt door de rozen of misschien wel door de krokodillen die samen met vele andere exotische dieren over de rotspartijen zwierven. Zeven garages waren er bij het huis, met daarin zeven Rolls Royces in zeven verschillende kleuren en voorzien van de nummerplaten FKB1 tot en met FKB7, één voor elke dag van de week.

Hoe het kan dat een jongen van twaalf zo onvoorstelbaar rijk was? Dat had hij te danken aan zijn vader, Sir Montague Bower, die bij zijn plotselinge dood het hele fortuin dat hij vergaard had, had nagelaten aan zijn enig kind.

Sir Montague was een van die zonderlingen geweest die maar één plezier kennen in het leven: het bezitten van geld, bergen geld. Zijn sigaren moesten langer en dikker zijn dan die van wie ook, al werd hij er doodziek van. Voor zijn vrouw, Lady Penelope, waren alleen de duurste bontjassen goed genoeg. Zij droeg ze altijd en eeuwig, ook al stoomde het asfalt van de hitte. Elke week brachten die twee een bezoek aan de Bank van Engeland, waar ze een speciale kluis hadden. Ze telden er hun geld en gilden van de pret om elk pond dat ze verdiend hadden.

Ze waren rijk geworden met het bouwen van kantoorgebouwen en fabrieken. In Londen en omgeving speurden ze naar geschikte bouwplaatsen die ze voor een schijntje opkochten. Dat konden parken zijn, maar ook verlaten werkplaatsen en zelfs huisjes die op instorten stonden. Daar zetten ze dan een torenflat neer die ze met een kolossale winst verkochten. Dat was de onderneming van Sir Montague. Hij had ze Bowers Bouwbedrijf genoemd.

Helaas, net toen hij en zijn vrouw zich uit de zaak wilden terugtrekken om van hun rijkdom te gaan genieten, gebeurde er iets verschrikkelijks, al mag je rustig zeggen dat het eigenlijk hun verdiende loon was. Dat zat zo. Ook al had Sir Montague zijn leven lang gebouwen laten optrekken, om de veiligheid ervan had hij zich nooit bekommerd. Dat zou immers flink wat geld gekost hebben. Hoe minder je aan iets uitgeeft, des te meer kun je er weer aan verdienen.

Om kort te gaan, Sir Montague sneed de hoeken af. Veel van zijn gebouwen vertoonden grote gaten waar de hoeken hadden moeten zijn. Zijn eigen hoofdkantoor – een torenflat van 27 etages in het hartje van Londen – had geen fundering. Sir Montague was te krenterig geweest om daar geld voor uit te geven. Maar precies op het moment dat hij er eens met zijn vrouw langsreed op weg naar zijn nagelnieuwe jacht, was het gebouw zomaar ingestort. Ze waren nog platter dan een dubbeltje en de politie dacht later zelfs dat er een rode loper in de straat uitgelegd was. Gelukkig – al deed het er voor Sir Montague en Lady Penelope weinig meer toe – gebeurde het ongeluk op een zondag en was het kantoor verlaten, zodat verder niemand gewond raakte. Het had wel tot gevolg dat Frederick Bower, een week na zijn elfde verjaardag, wees werd en de enige erfgenaam van de Bowermiljoenen.

Het klinkt misschien wreed, maar Frederick liet geen traan toen hij hoorde wat zijn ouders overkomen was. Sir Montague en Lady Penelope waren zo druk in de weer geweest met het vergroten van hun rijkdom dat ze zich nauwelijks bekommerd hadden om hun enig kind. En als ze af en toe toch eens om de deur van zijn kamer keken, schrokken ze zo van zijn opgeblazen gezicht, zijn sprieterige rode haren, zijn wateroogjes en zijn duizenden sproeten dat ze niet wisten hoe snel ze zich uit de voeten moesten maken.

Fredericks opvoeding hadden ze toevertrouwd aan drie kinderjuffen. Juffrouw Spic stond in voor zijn persoonlijke hygiëne. Elke avond stopte ze Frederick in een verzengend heet bad en elke morgen gaf ze hem schone kleren. Juffrouw Span had hem leren lezen en schrijven, vooral chequeboekjes en beursnoteringen. Juffrouw Snuff, ten slotte, moest toezien op zijn gezondheid, propte hem vol met vitaminen en stuurde hem meteen naar bed als hij alleen maar niesde.

Het eerste wat Frederick deed nadat zijn ouders begraven waren – op een erg exclusief kerkhof waar gewone mensen doodgewoon niet toegelaten werden – was het ontslaan van de drie juffen, aan wie hij een gloeiende hekel had. Uit pure wrok liet hij hen afvoeren naar een Tehuis voor Afgedankte Gouvernantes in het uiterste noorden van Schotland, waar ze de hele dag postzakken moesten naaien en alleen maar pap te eten kregen.

In hun plaats nam hij een werkloze chauffeur in dienst. Dat was handig omdat hij zelf te jong was om te rijden. Bovendien was de chauffeur zijn persoonlijke verzorger en lijfwacht. Een weerzinwekkender man dan deze Gervaise – zo heette hij – kun je je nauwelijks voorstellen. Hij had maar één oor en over zijn schedel, die zo kaal was als een biljartbal, liep een enorm litteken. Op niet minder dan drie plaatsen was zijn neus gebroken, een blijvende herinnering aan zijn verblijf in Hongkong, Beiroet en Marseille. Onder zijn kleren welden massieve spierbundels op en zo kaal als zijn hoofd was, zo behaard was de rest van zijn lijf. Hij kon zo weggelopen zijn uit een griezelfilm.

Maar voor Frederick was Gervaise een lot uit de loterij. 's Morgens reed hij zijn jonge meester naar school en tot laat in de middag bleef hij daar op hem wachten. Al was Frederick een bullebak, hij was ook een slappeling, veel te laf om het zelf tegen iemand op te nemen. Als hij ruzie had met een van de andere kinderen, riep hij Gervaise te hulp.

'Gervaise, ik kan die jongen daar, die Sington, niet uitstaan.'

Gervaise greep de arme Sington dan in zijn kraag en gaf hem er flink van langs. Natuurlijk hadden alle kinderen een hekel aan Frederick, maar met Gervaise steeds in de buurt en gezien het feit dat de school zowat zijn eigendom was, konden ze niets tegen hem beginnen.

Zo zou ik het hele boek kunnen vullen met de nare fratsen van Frederick Kenneth Bower, maar ik moet nu onderhand eens beginnen met het vertellen van mijn verhaal. Toch is er nog een voorval dat meer dan alle andere aantoont wat voor een vreselijke etter Frederick echt was en hoe gevaarlijk de combinatie van onbeperkte rijkdom en grenzeloze gemeenheid kan zijn. Ik heb het uiteraard over de beruchte Kerstmanaffaire.

De eerste Kerstmis na het overlijden van zijn ouders ontdekte Frederick bij het ontwaken tot zijn grote woede dat de Kerstman hem vergeten was. Aan zijn hemelbed hing zijn kous, die groot genoeg was om er een olifant in te stoppen – en dat was maar een van de vele dingen op zijn verlanglijstje – en voor het eerst in zijn leven was die helemaal leeg. Woest was hij, Frederick. Hij schold Gervaise de huid vol en brulde dat hij de cadeaus gepikt had. Hij huilde wel een uur lang, gaf de Siamese kat een lel en jankte weer een vol uur omdat het beest hem gebeten had.

Daarna dacht hij enige tijd na en gebood Gervaise hem in de Rolls naar de televisiestudio te rijden, waar men op dat moment halverwege was met de uitzending van een kerstontbijtshow. Die studio, moet je weten, was neergezet door Bowers Bouwbedrijf en men was de firma nog heel wat geld schuldig. Toen Frederick tien minuten zendtijd opeiste, konden de televisiebonzen hem dat niet weigeren.

Zo kwam het dat in het hele land, midden in de kerstontbijtshow, alle televisieschermen plotseling donker werden. Toen ze even later weer oplichtten, was alleen het bolle gezicht van Frederick Kenneth Bower te zien. En dit is wat hij te vertellen had.

'Dames en heren. Ik onderbreek de kerstontbijtshow om u iets heel belangrijks mee te delen. U kunt er maar beter goed naar luisteren, want anders laat ik de hele show stoppen. En reken maar dat ik dat kan!

Toen ik vanochtend wakker werd in mijn verrukkelijke hemelbed, zag ik dat mijn kous nog helemaal leeg was! Er zat niets in! Niet eens een verguld knakworstje. Ik heb daar eens goed over nagedacht en ben erachter gekomen dat de zogenaamde Kerstman die mijn kousen vol zou moeten stoppen met alles wat ik maar kan bedenken – ook al heb ik alles al en nog wel meer ook – dat deze Kerstman *niet bestaat*.

Ik durf er alles om te verwedden dat hij maar een verzinsel is en dat het in werkelijkheid je ouders zijn die je kousen vullen. Omdat mijn eigen ouders dood zijn, was er niemand om mijn kous vol te stoppen. En als ik niks van de Kerstman krijg, waarom jullie dan wel? Laat ik het daarom maar zeggen zoals het is. Het verhaal over de Kerstman is een *leugen*. Die man bestaat gewoon *niet*. Het is allemaal maar *verzonnen*.'

Kun je je inbeelden wat deze afschuwelijke uitzending allemaal teweegbracht? Over het hele land barstten grote en kleine families in tranen uit. De artiesten die optraden in de kerstontbijtshow waren helemaal overstuur en met geen stok meer voor de camera's te krijgen. Het kerstfeest was voor iedereen verpest. Maar dat was nog niet alles, o nee, nog lang niet!

Toen de Kerstman zelf – die, zoals je weet, wel degelijk bestaat en in een gerieflijke flat net onder de poolcirkel woont – ter ore kwam wat Frederick allemaal verteld had, werd hij verschrikkelijk kwaad. Zo kwaad dat hij in een brief aan de premier dreigde het volgende jaar heel Groot-Brittannië over te slaan als er geen maatregelen genomen werden.

Niemand minder dan de koningin zelf zond hem daarop het volgende telegram: *Wij bieden u onze koninklijke excuses aan voor deze hoogst ongelukkige gebeurtenis.* Het parlement stelde drie verschillende commissies in om de zaak tot op de bodem uit te zoeken en de minister van Buitenlandse Zaken nam het eerstvolgende vliegtuig naar de noordpool voor onderhandelingen met de helpers van de Kerstman. Alle kranten brachten het nieuws op de voorpagina.

Wat het meest tot de verbeelding sprak, was de brief

die de aartsbisschop van Canterbury aan de *Times* schreef. Hij zei diep geschokt te zijn dat men bleek te twijfelen aan het bestaan van de Kerstman, die niet alleen een fijne kerel maar ook een goede vriend en een oud-studiegenoot van hem was.

2 DE GEHEIME KAMER

Frederick verveelde zich.

Het was een hete woensdagmiddag midden in de zomervakantie. Buiten was alles rustig op het sjirpen van de krekels en het tjilpen van de vogels na. Verder was alleen het gegil van de kok te horen die aan zijn duimen in een boom was opgehangen omdat hij bij het ontbijt de toast had laten aanbranden. De tuinlieden maaiden het gazon, terwijl ze angstig naar de krokodillen speurden die zich koesterden in de zon en hoopvol naar de tuinlieden keken.

Frederick had zich voorgenomen in de vakantie een maand lang naar zijn appartement in New York te gaan, maar hij was tot de slotsom gekomen dat hij niet van rumoerige steden hield. Hij had overwogen in zijn privé-Concorde naar de Bahama's te vliegen, maar had daarvan afgezien omdat het er zo heet was, dat hij er zou wegsmelten. Hij had geaarzeld tussen zijn kasteel in Spanje, zijn palazzo in Venetië, zijn hotel in Monte Carlo, zijn farm in Texas en zijn villa op Corsica. Een beslissing nemen viel hem echter zwaar en de hele kwestie had hem ten slotte zo verveeld, dat hij maar gewoon thuisgebleven was.

Nu zat hij in de werkkamer van zijn vader op de tiende etage van het huis uit het raam te staren en zich af te vragen wat hij in 's hemelsnaam kon gaan doen. In het mahoniehouten bureau had hij zijn initialen al gekerfd.

De inktpotten had hij omgekeerd en de potloden doormidden gebroken. Hij had met de telefoon zitten spelen en een paar mensen in Australië de stuipen op het lijf gejaagd door hun nummer te draaien terwijl het daar midden in de nacht was. De typemachine had hij uit elkaar gehaald en het was hem niet gelukt de stukken weer in elkaar te zetten.

Hij verveelde zich.

Humeurig stond hij op en slenterde langs zijn vaders boekenkast. De planken bogen door onder boeken die veel te saai waren om te lezen – heel anders dan dit boek, hoop ik. Boeken als *Profijt van het pond* en *Dollen met de dollar*. Er was een *Encyclopedie voor beleggers* die niet minder dan vierentwintig delen telde, en zelfs een *Uitklapboek van solide beleggingsfondsen*. Er was niet één boek dat niet over geld ging.

Of toch, precies in het midden van een van de langste planken zag hij een klein, in leer gebonden boek dat *De geheime kamer* heette. Deze drie woorden waren in goud gedrukt op een witte achtergrond. Een naam van een auteur stond er niet bij.

'De geheime kamer,' mompelde Frederick.

Met een vette vinger graaide hij naar het boek en begon eraan te rukken. Er was geen beweging in te krijgen. Hij probeerde het los te wrikken, maar het bleef op zijn plaats alsof het aan de plank vastgelijmd zat. Hij sjorde er nog harder aan, zo hard, dat hij zich afvroeg waarom het boek niet in stukken scheurde. Eindelijk, toen hij zijn pogingen al op wilde geven, raakte hij met de top van zijn vinger toevallig een knop die achter de rug van het boek verborgen zat. Hij drukte erop, hoorde een klik en stapte vol verbazing achteruit.

Met zacht gezoem verdween de boekenwand in de muur, voortbewogen door een onzichtbaar mechanisme. Daarbij kwam, zoals de titel van het boek had beloofd, de toegang vrij tot een geheime kamer. Na goed anderhalve meter hield de wand op met glijden. Er klonk weer een klik en twee neonlampen flikkerden aan. Voor het eerst in zijn leven betrad Frederick het privéheiligdom van zijn vader, de ruimte waar Sir Montague zijn smerigste zaakjes had beraamd.

Er stond net zo'n bureau als in de werkkamer. Alleen lag dit bureau nog volgestouwd met spullen van Sir Montague. Boven alles uit torenden twee telefoonboeken: een Gouden Gids en een Zwarte Gids. Een handvol pennen en potloden lag verspreid tussen stapels papieren die allemaal zaken betroffen die het daglicht niet konden verdragen. Maar het handschrift van Sir Montague was zo slordig, dat Frederick er niets van kon ontcijferen. Rechtop in het blad van het bureau stond een vlijmscherpe briefopener, die midden door een foto was gestoken. Helaas bleek dat een foto van Frederick zelf te zijn.

De kamer had geen ramen. Tegen de muur stond een archiefkast met het opschrift *Chantage*. Frederick opende de kast. De dossiers waren onderverdeeld in *Aartsbisschoppen, Bankdirecteuren, Commissarissen, Diplomaten* en zo verder het hele alfabet door tot een enkele, ongelukkige zoöloog. Er waren nog meer archiefkasten voor andere duistere praktijken van Sir Montague, maar Frederick besteedde daar verder geen aandacht aan en liep regelrecht naar een gladde houten tafel achteraan in de kamer.

Op die tafel stond een kistje van gitzwart ebbenhout. Zelfs zonder het geopend te hebben, wist Frederick dat het een verschrikkelijk geheim bevatte. Met de hand gesneden schorpioenen leken het deksel te willen beschermen en het sleutelgat had de vorm van een mensenschedel met daaronder gekruiste beenderen. Het enige wat ontbrak, was de sleutel.

Frederick – dat spreekt voor zich – was dol op geheimen. Hoe gemener, hoe liever. Hij haastte zich weer naar het bureau, rukte de briefopener uit de foto, stak die vervolgens onder het deksel van het ebbenhouten kistje en begon te wrikken. Met een droge knal brak het hout. Het kistje was open.

Als Frederick een fles met vergif of zoiets had verwacht, dan werd hij bitter teleurgesteld. In het kistje zaten alleen maar zeven blaadjes papier. Drie daarvan waren brieven, geadresseerd aan zijn vader, en twee waren krantenknipsels. De twee andere papieren waren een certificaat dat er heel officieel uitzag, en een foto.

Muffe oude brieven interesseerden Frederick niet, maar omdat hij er nog altijd van overtuigd was dat hij op het spoor was van een geheim uit het verleden van zijn vader, las hij er een van. Hij sperde zijn ogen open. Met het kistje onder de arm liep hij terug naar het bureau en las de brief nog een keer. En daarna de andere. Zijn mond viel steeds verder open van verbazing.

Een uur later verliet hij de geheime kamer met de papieren en met de Zwarte Gids in de hand. Hij sprong in de lift en belde Gervaise.

Die zat net te genieten van een grote rauwe biefstuk, zijn dagelijkse hapje tegen theetijd, en vond het helemaal niet prettig dat hij gestoord werd. Toen hij de kamer binnenstommelde, was Frederick zijn handschoenen en zijn jas van beverbont al aan het aantrekken.

'Rij de auto voor, Gervaise,' beval hij.

'Uuuuh,' antwoordde Gervaise, wat zoveel betekende als 'Ja, meneer.' Twee minuten later gierden ze door de noordelijke voorsteden naar het hartje van Londen.

Nieuw Bowerhuis, het nieuwe hoofdkantoor van Bowers Bouwbedrijf, was een prachtig gebouw in de buurt van Trafalgar Square. Het bestond uit negendertig etages glas en staal, compleet met fundering. Op de binnenplaats waren niet minder dan veertien fonteinen, die allemaal gegroepeerd waren rond een marmeren standbeeld van Frederick. Het was gemaakt door een van de bekendste beeldhouwers ter wereld en stelde Frederick voor met een lolly in zijn mond. Die lolly had de vorm van een wereldbol.

Met de documenten nog in zijn hand repte Frederick zich naar de vijfendertigste etage van dit gebouw. De portier begroette hem eerbiedig. De receptioniste stopte snel het tijdschrift weg dat ze aan het lezen was en deed alsof ze druk in de weer was. De liftbediende drukte zonder aarzelen op de goede knop en gaf geen krimp toen Gervaise op zijn tenen ging staan. Enkele ogenblikken na zijn entree wist iedereen in het gebouw dat Frederick op bezoek was.

Frederick was nog te jong om zelf de firma te leiden en daarom had hij een manager in dienst genomen. Maar het leiden van een firma was blijkbaar zo ingewikkeld dat die manager weer een andere manager in dienst had om hem daarin bij te staan. De twee managers heetten Slime en Ball. Toen Frederick zijn kantoor binnenstormde, stond Slime klaar om hem te begroeten, terwijl Ball zijn bureau aan het opwrijven was.

Het kantoor van Frederick had alles wat je van het kantoor van een directeur mag verwachten: enorme afmetingen, een hoogpolig tapijt, kostbaar en luxueus meubilair en een ijskast, die gevuld was met zijn favoriete limonades. Een van de muren bestond helemaal uit ramen die een prachtig uitzicht boden op Trafalgar Square. Een andere muur was afgeschermd door een set donkere lamellen met daartussen een brandkast, die half zo groot was als een doorsnee Londense bus en verbonden met de muur door een duimdikke elektrische kabel.

'Goede middag, jongeheer Frederick,' begroette Slime zijn baas. 'Sta mij toe u te zeggen wat een buitengewoon voorrecht het is u hier te zien. Een onuitsprekelijk voorrecht, hè, Ball?'

'Ja, zeker, nou en of,' was Ball het met hem eens. 'Ik

kan me niet herinneren dat mij ooit eerder zo'n immens voorrecht te beurt gevallen is.'

'Bent u gekomen om de boeken door te nemen?' vroeg Slime.

'Alles gaat prima, werkelijk prima, al zeg ik het zelf,' verzekerde Ball.

'Prima, uitstekend, prima,' viel Slime hem bij. 'Het zou gewoon niet beter kunnen.'

'Hebt u trek in een glas limonade?' informeerde Ball om het gesprek snel over een andere boeg te gooien.

'Of misschien in een lekker stuk chocoladecake?' probeerde Slime. Hij was zo zenuwachtig, dat hij zijn nagels compleet afgekloven had en aan de vingers zelf begonnen was.

Frederick, die duidelijk niet in de stemming was voor limonade of chocoladecake, nam plaats aan zijn bureau en keek beide mannen aan op een manier die weinig goeds beloofde.

'Kop dicht, Ball, en hou op met dat kruiperige gedoe,' zei hij. 'En jij, Slime, laat je nagels met rust, anders vraag ik Gervaise zich even met jullie bezig te houden.'

Slime haalde zijn duim uit zijn mond en stopte zijn hand vlug in zijn zak. 'Het spijt me heel erg, Uwe Genade,' fluisterde hij.

Ball transpireerde zo hevig, dat een grote druppel van zijn kin lekte en met een plofje op het tapijt belandde. 'Alstublieft niet opnieuw Gervaise,' smeekte hij. 'Vorige keer heeft hij mijn knieën bijna gebroken.'

'En ik had vier gekneusde ribben,' kreunde Slime.

Beide mannen stonden op het punt in tranen uit te barsten.

'Al goed, al goed,' zei Frederick. 'Niemand zal jullie een haar krenken. Maar dan wil ik wel actie.'

'Actie,' zei Slime.

'Actie,' riep Ball.

'Hou nu eens op mij na te praten, oenen,' schreeuwde Frederik. 'Staat de computer aan?'

'Ja, Uwe Edele,' zei Slime.

'Goed dan. Geef hun de foto, Gervaise.'

Gervaise gaf de foto die Frederick in het ebbenhouten kistje gevonden had aan Slime. Er stond een blonde jongen op die iets jonger leek dan Frederick zelf.

'Wat een enig joch,' mompelde Ball.

'En zo knap,' haastte Slime zich eraan toe te voegen. 'Is hij een vriend van u?'

Frederick sloeg met zijn vuist op het bureau en sprong op. 'Nee! Hij is geen vriend van mij, nee! Ik weet niet eens wie hij is, maar ik haat hem. Ik moet hem niet. Ik walg van hem.'

De twee mannen waren lijkbleek geworden.

'Eigenlijk,' stamelde Ball, 'is hij helemaal niet zo enig nu ik erover nadenk. Nee, helemaal niet zelfs.'

'Ik bedoelde dat hij er zo slap uitziet,' legde Slime uit. 'Ik meende niet echt dat hij knap was. Welnee! Ik bedoelde het sarcastisch.'

'Luister,' zei Frederick terwijl hij een sigarettenkoker

opende en een lolly in zijn mond propte. 'Kan de computer mij de naam en het adres van deze jongen geven door alleen maar naar de foto te kijken?'

'Vanzelfsprekend kan hij dat,' zei Ball. 'Nieuw Bowerhuis heeft de meest geavanceerde computer ter wereld. Een machtig ding met allemaal lampjes en draadjes ...'

'... en verbonden met Interpol, de NASA, het Kremlin ...'

'... en hij kan zelfs praten!'

'Het kost hooguit een halve minuut,' beloofde Slime.

'Maar een paar seconden,' zei Ball.

Terwijl Frederick op zijn lolly zoog en Gervaise dreigend tegen de muur leunde, in de hoop de managers nog even onder handen te mogen nemen, trokken Slime en Ball de lamellen opzij en onthulden een ingewikkelde machine vol lampjes die aan- en uitflitsten, draaiende spoelen, toetsenborden en schermen.

'Er is echt niks wat hij niet kan,' zei Slime terwijl hij een aantal toetsen indrukte. Alles aan de computer begon te knipperen en te ratelen. Hij drukte opnieuw een serie toetsen in, waarop de computer nog meer herrie begon te maken. Ball liet de foto die Gervaise hem gegeven had in een soort sleuf aan de zijkant van het apparaat glijden en haalde vervolgens een hendel over.

Er gebeurde helemaal niets.

De beide mannen sloegen bijna groen uit. Er was al meer dan een minuut verstreken sinds ze Frederick de informatie die hij wilde, beloofd hadden. Gervaise rechtte zijn rug en haalde bijna teder zijn boksbeugel tevoorschijn.

‘Wat is er mis?’ vroeg Frederick ijzig.

‘Precies! Wat is er mis?’ vroeg Slime aan Ball.

‘Hij vroeg het aan jou,’ sputterde Ball tegen.

‘Niet waar!’

‘Ellendige computer,’ kreunde Ball, en gaf een ferme trap tegen het apparaat.

‘Au!’ klonk het zacht.

De schop bleek de computer tot rust te brengen. Het ratelen hield op en hij begon bijna aangenaam te brommen. De lampjes knipperden nu regelmatig en de spoelen wentelden rustig rond.

‘Harro,’ sprak hij toen.

‘Harro?’ herhaalde Frederick. ‘Wat moet dat betekenen?’

‘Het is een computer uit Japan,’ legde Slime uit.

‘Hij is gemaakt in Japan,’ voegde Ball daaraan toe. ‘Zijn Engels laat wat te wensen over.’

‘Eruit! En snel!’ snauwde Frederick.

‘Rrtt han nah!’ wauwelde de computer hem na.

Beide mannen bogen nu als knipmessen. Achteruitlopend probeerden ze de kamer te verlaten, tot ze tegen elkaar opbotsten en in een kluwen over het tapijt rolden.

‘Een ogenblik nog!’ beval Frederick. ‘Ik heb hier een paar bijzonder belangrijke documenten. Die wil ik ergens veilig opbergen. Waar zou dat kunnen?’

‘In de Bank van Engeland,’ zei Slime terwijl hij opkrabbelde.

‘Nee. Ik moet ze dichter in de buurt hebben en er toch zeker van zijn dat ze veilig zijn.’

'Waarom dan niet in de brandkast hier in uw eigen kantoor?' vroeg Ball.

'Dat is geen slecht idee,' beaamde Frederick, knorrig omdat hij daar zelf niet aan gedacht had. 'Is die brandkast veilig genoeg?'

'Het is een buitengewoon veilige brandkast,' verzekerde Slime.

'Gemaakt van solide staal, twee meter dik,' zei Ball, die zijn armen wijd spreidde.

'Een tank kan haar niet openkrijgen.'

'Een kernbom kan er nog geen deukje in blazen.'

'Hoe moet ik hem dan openkrijgen?' vroeg Frederick.

Slime glimlachte. 'Dat is gemakkelijk, Grootheid,' zei hij. 'De brandkast is gekoppeld aan de computer. Al wat u moet doen, is een wachtwoord invoeren – een woord dat alleen Uwe Genade zelf kent – en de brandkast zal vanzelf openen.'

'Maar veronderstel nu eens dat ik het wachtwoord vergeet.'

'Als u de naam opgeeft van wat u in de wereld het meest dierbaar is, kunt u het nooit vergeten,' stelde Ball voor.

'Oké. En nu eruit,' zei Frederick, die eindelijk eens in actie wilde komen.

'De Heer zegene u,' zuchtte Slime.

'Ik vereer het tapijt dat uw persoon mag dragen,' slijmde Ball.

Beide mannen repten zich naar buiten, blij dat ze zonder kleerscheuren konden ontkomen aan de verschrikkelijke Frederick en die griezel van een Gervaise.

Zodra ze verdwenen waren, wendde Frederick zich tot de computer.

'Hoe heet deze jongen?' vroeg hij.

'Jongen op foto heet Lobin West,' zei de computer.

'Je bedoelt wellicht Robin West,' gromde Frederick.

'Ja, Lobin West.'

'En waar woont hij?'

'Het adres is Windsor Gardens 64, Pinner. Pinner is een kleine stad in Ronden.'

'Waar is Ronden?' vroeg Frederick.

'Ronden is de hoofdstad van Engerand.'

Frederick tekende een poppetje op zijn kladblok en stak een verse lolly tussen zijn lippen. 'Die West moet dood,' zei hij. 'Ik wil dat hij fijngeprakt wordt, tot gehakt vermalen. Hij moet ...' Frederick maakte een veelbetekenend gebaar langs zijn nek.

Gervaise glimlachte gelukzalig en ontblootte daarbij een rij gebroken tanden. De computer snorde en gonsde.

'Maar we moeten wel voorzichtig zijn. We mogen geen enkel risico lopen. Als ze erachter komen dat ik iets met dat joch te maken heb, kan ik wel inpakken.'

Gervaise fronste de wenkbrauwen en trachtte te bedenken wat dit allemaal betekenen kon.

'Ik denk dat ik hem een doos bonbons uit mijn eigen winkel stuur,' ging Frederick verder. 'Hoeveel rattengif is er nog over?'

'Rattengif!' murmelde de computer.

'Rattengif?' vroeg Gervaise.

'Het vergif dat door mijn ratten gemaakt wordt, stommelingen,' legde Frederick ongeduldig uit. 'We hebben er een boel van nodig. Een kist vol. Je moet een flinke hoeveelheid vergif doen in de lekkerste, duurste bonbons die we hebben. Die sturen we dan naar Robin West. Als hij er alleen maar aan ruikt, is het al met hem afgelopen. En dat is dan dat. Haha, hoera!'

'Hoela!' papegaaide de computer.

'Er is nog één ding,' aarzelde Frederick. 'Als hij nu eens niet van bonbons houdt en alles weggeeft ... of als hij de doos niet eens ontvangt omdat die zoek raakt bij de post. Nou, wat dan?'

'Uuurk?' vroeg Gervaise.

'Ik kan er maar beter voor zorgen dat die jongen snel en vakkundig naar de andere wereld geholpen wordt.'

Frederick maakte met een laatste lijntje de tekening op zijn kladblok af. Het was een plaatje van een bom. Daarna sloeg hij de Zwarte Gids open die hij uit zijn vaders werkkamer meegenomen had en liep met zijn vinger de inhoudsopgave na, tot halverwege de B. Hij pakte zijn privételefoontoestel en toetste het nummer in dat hij gevonden had.

'Hallo?' zei hij toen de hoorn aan de andere kant werd opgenomen. 'Met Boeven tegen Betaling & Co? Ik wil spreken met Spin en Muss Quito.'

3 ROBIN WEST

In Pinner was Robin West ondertussen net klaar met zijn krantenwijkje. Robin is – dat heb je natuurlijk al geraden – de held van dit boek. Maar als je zou denken dat hij een zacht eitje was, gehoorzaam aan zijn moeder en lief voor de buurvrouw, het type dat zo vaak de held mag spelen in boeken, dan heb je het goed mis. Natuurlijk, vergeleken met Frederick was Robin een heilige. Maar zoals bij de meeste jongens van twaalf was het lang niet met iedereen koek en ei.

Neem nou meneer Sylvester. Die kon zijn bloed wel drinken. Meneer Sylvester was de eigenaar van een kruidenierswinkeltje annex krantenzaak. Op die bewuste avond begroette hij Robin met een dreigende blik in zijn ogen.

'Goedenavond, jongeman,' zei hij.

'Hallo, meneer Sylvester,' antwoordde Robin.

'Ik zie dat je al klaar bent met het rondbrengen van de avondkrant,' spotte meneer Sylvester.

'Ja, meneer Sylvester.'

'Alleen jammer dat het de ochtendbladen waren.'

'Ik heb me verslapen,' verdedigde Robin zich.

'Meer dan tien uur,' sneerde meneer Sylvester. 'Deze kranten hadden vanochtend om acht uur bezorgd moeten zijn!'

'Het spijt me,' zei Robin.

'Spijt? Spijt! Is dat alles wat je te zeggen hebt? Nou ... ik ben nog lang niet klaar. Ik heb een heleboel klachten gehad van mijn klanten. Mevrouw Higgins heeft de *Financial Times* gekregen in plaats van de *Mirror*. Bij de dominee is de *News of the World* bezorgd en zijn vrouw was bepaald niet gelukkig blote vrouwen op haar deurmat aan te treffen. En meneer Beer, de eigenaar van het café, heb je verrast met *De kerkbode*. Nou, wat heb je daarop te zeggen?'

'Ik had nogal haast,' stamelde Robin.

'Sodemieter op! Mijn zaak uit!' schreeuwde meneer Sylvester. 'Je bent ontslagen. Dertig jaar lang heb ik niet zo'n waardeloze krantenjongen gehad. Een aangeklede aap kan nog beter kranten rondbrengen dan jij. Eruit!'

'En mijn geld dan?' vroeg Robin, die helemaal niet bang was voor meneer Sylvester.

'Je geld?' smaalde meneer Sylvester, die van woede helemaal paars aanliep. Zijn smalle snorretje trilde als een espenblad. 'Een schop onder je kont kun je krijgen. Wacht maar!'

Briesend van kwaadheid gespte meneer Sylvester de zwarte leren riem los die hij om zijn middel droeg. En als zijn broek niet meteen op zijn enkels gezakt was, zou hij Robin nog gegrepen hebben ook. Nu struikelde hij bij de eerste stap die hij deed en viel voorover in de diepvries, die zich met een klap boven hem sloot. Robin ging met zijn hele gewicht op het deksel hangen en kreeg zowat de slappe lach toen hij meneer Sylvester wanhopig om hulp hoorde schreeuwen.

Een paar tellen later rende hij de straat op, buiten bereik van de bezem van mevrouw Sylvester, die de winkel binnenstormde, gealarmeerd door de kreten van haar man. Tegen de tijd dat zij haar man uit zijn netelige positie bevrijd had, was Robin al twee blokken verder.

Het eerste wat hij deed toen hij thuiskwam, was het hele verhaal vertellen aan zijn zusje Mary. Die twee deelden al hun geheimen en hadden nooit ruzie, zoals zoveel broers en zussen. Ondanks het feit dat Mary maar één jaar jonger was dan Robin, kun je je nauwelijks twee kinderen voorstellen die zoveel van elkaar verschillen. Robin had stroblond haar en heldere blauwe ogen en was behoorlijk lang voor zijn leeftijd. Mary had zwart haar, donkerbruine ogen en was heel wat kleiner dan haar broer.

In feite waren ze ook helemaal geen broer en zus. Robin had zijn echte ouders nooit gekend. Een paar dagen nadat hij was geboren, was hij achtergelaten in het St. Mary's Ziekenhuis in Paddington. Mevrouw West was opgetogen geweest over het kleine ventje. Ook al kon ze best zelf kinderen krijgen, ze had hem geadopteerd als haar eigen kind.

Mevrouw West was een schat van een vrouw. Iedereen in Pinner mocht haar graag. Helaas had ze één groot gebrek: ze was nogal excentriek en buitengewoon vergeetachtig. Als ze een schoenenzaak binnenstapte, vroeg ze om een brood, omdat ze vergeten was de naam op de winkeldeur te lezen. Waar ze ook haar auto parkeerde, je kon er zeker van zijn dat ze hem niet kon terugvinden. Eens was ze zelfs op stap gegaan in haar nachthemd omdat ze vergeten was zich aan te kleden voordat ze de deur uit ging.

Dit alles was niet zonder gevolgen gebleven. Haar man, Edward West, een bankbediende, was zich steeds meer gaan ergeren aan de verstrooidheid van zijn vrouw. Toen hij op een dag in zijn lunchdoosje niet zijn boterhammetjes met ham en tomaat vond maar een bol wol en een haaknaald, had hij besloten zijn vrouw te verlaten en op zichzelf te gaan wonen. Edward West was een aardige man, maar hij was ook erg netjes en precies. En daarom ging hij weg bij zijn vrouw en hertrouwde hij later met een bibliothecaresse die alle dingen in alfabetische volgorde rangschikte en nooit iets vergat.

Mevrouw West bleef met Robin en Mary achter in hun halfvrijstaande huis in Pinner. Rijk waren ze bepaald niet. Mevrouw West wist haar baantjes immers nooit langer dan een paar dagen te houden. En voor de strenge moeder die ze probeerde te zijn, was ze evenmin in de wieg gelegd, zoals ze nu maar weer eens bewees.

'Robin,' zei ze toen ze 's avonds thuiskwam, 'je hebt je vandaag erg slecht gedragen.'

'Hoezo, mam?' vroeg Robin, die zich van den domme hield.

'Je weet heel goed wat ik bedoel,' ging mevrouw West verder. 'Die arme meneer Spencer heeft me alles verteld ... of was het meneer Wilson? Ach, wie was er ook alweer zo boos op je?'

'Meneer Sylvester misschien?' hielp Mary.

'Die was het! Echt, Robin, zoals jij je hebt gedragen tegenover ... tegenover ... Jakkes! Ik weet niet eens meer wat je misdaan hebt.'

Daarom vertelde Robin, die altijd eerlijk was tegenover zijn moeder, zelf wat er gebeurd was. Eerst keek ze hem verwijtend aan, zoals alleen volwassenen dat kunnen. Naarmate hij verder vertelde, begonnen haar lippen echter steeds meer te trillen. En toen hij voordeed hoe meneer Sylvester ten slotte in de vrieskist gevallen was, schaterde ze het uit. Tegen die tijd was ze allang vergeten dat ze eigenlijk kwaad had moeten zijn. Met z'n drieën begaven ze zich daarna naar de keuken, waar ze bijna perziken op toast en vla met sardines voorgeschoteld kregen, omdat mevrouw West de blikjes verwisseld had. Gelukkig schoot Mary haar moeder te hulp en kwam alles nog goed.

Na het eten en de afwas zetten ze hun zwart-wittelevisie aan om voor het slapengaan nog een uurtje tv te kijken. Sinds mevrouw West het toestel eens water gegeven had omdat zij het had verwisseld met een cactus, konden ze alleen de commerciële zender ITV nog ontvangen.

Het nieuws was net afgelopen en de reclame begon. De eerste commercial was er een voor bonbons. Je zag een jongeman van een hoge rots het water in duiken en een meer over zwemmen dat vergeven was van de haaien en dat allemaal om voor zijn geliefde een bonbon te bemachtigen van het merk waar zij zo dol op was. Toen mevrouw West dit zag, sprong zij op en klapte in de handen.

'Haaien!' riep ze.

'Waar dan?' gilde Mary.

'Nee, nee ... ik bedoel geen haaien, ik bedoel bonbons.' Mevrouw West dacht een ogenblik na. 'Robin, ik zou ze nog bijna vergeten! Ga eens gauw in de keukenkast kijken.'

Robin deed wat zijn moeder hem vroeg en kwam even later terug met een zware doos vol dure bonbons. Op het deksel van rood fluweel stond gedrukt: *Bowers Gemengde Bonbons. Dertig overheerlijke vullingen in de lekkerste pure chocolade.*

'Wat is dit?' vroeg Robin vol verbazing. 'Mam, zoiets kun je toch niet betalen!'

'Ik heb ze niet gekocht,' antwoordde mevrouw West. 'De post heeft ze vanochtend voor je gebracht. Ik heb het pakje per ongeluk opengemaakt. Kijk, hier is de brief die erbij zat.'

Rommelend in haar handtas haalde ze een brief tevoorschijn.

Aan meneer Robin West in Pinner (zo begon de brief).

Gefileceteerd! Je hebt de eerste preis gewonnen in onze preisvraag. Daarom kreig je een eerlijke doos met onze lekkerste bonbons. We open dat ze je goet smaken.

Was getekend: *de manajers van Fortnum & Bower Warenhuis, Piccadilly.*

P.S. Je moet er echt heel veel van opheten, hoor!

'Wauw!' riep Mary uit, terwijl het water haar in de mond liep.

'Dat is vreemd. Echt heel vreemd,' aarzelde Robin.

'Wat is er vreemd?' vroeg Mary, die haar hand al uitstrekte naar een van de grootste bonbons.

'Nee, wacht nou even,' hield Robin haar tegen. 'Hoe kan ik een prijsvraag gewonnen hebben van het Fortnum & Bower Warenhuis als ik daar nog nooit geweest ben?'

'Wat geeft dat nou?' schokschouderde Mary.

'Denk je dat ze een vergissing gemaakt hebben?' vroeg mevrouw West.

'Ik begrijp echt niet hoe ik die prijsvraag gewonnen kan hebben,' herhaalde Robin. 'En bovendien is er iets raars met die brief. Hij staat vol met spelfouten.'

'Eigenlijk vind ik het ook wel een beetje gek,' gaf Mary toe.

Robin keek nog eens naar de doos en zijn vrees smolt als sneeuw voor de zon. Het waren werkelijk heel bijzondere bonbons. Toen hij zag dat de opsomming op het deksel lekkernijen vermeldde als *Andalusische Aardbei-attractie*, *Braziliaans Bananenblok* en *Chinese Citroenchocolade*, kon hij niet langer aan de verleiding weerstaan.

'Ach, wat zou er mis mee kunnen zijn?' Hij haalde zijn schouders op en wilde een bonbon pakken.

Maar mevrouw West hield hem tegen. Zij was van nature een nerveuze vrouw die door haar verstrooidheid vaak in de problemen kwam en daarom wilde ze er absoluut zeker van zijn dat ze niets verkeerds deden.

‘Nee, Robin,’ zei ze, ‘laten we er maar afblijven. Misschien is er toch een vergissing gemaakt en dan zouden we de prijs van iemand anders opeten.’

‘Maar, mam ...’ begon Mary.

‘Nee, we zetten ze vannacht weg en bellen morgenochtend meteen Fortnum & Bower op. Pas als alles in orde is, gaan we ze lekker oppeuzelen.’

Robin en Mary sputterden nog wat tegen, maar waren het ten slotte toch met hun moeder eens. Twaalf uur wachten is best vol te houden, zeker als je slaapt. Ze gaven hun moeder een zoen, poetsten hun tanden en gingen naar bed.

Een uur later, na het journaal van halfelf, zocht ook mevrouw West haar bed op, nadat zij haar tanden gepoetst had met een nagelborsteltje en haar handen gewassen met shampoo.

Om drie uur die nacht gebeurde er iets heel ongewoons. Door een gat dat voorzichtig in het glas van de keukendeur was gesneden, reikte een hand naar het slot. Een ogenblik later kwam er een man het huis binnen. Hij droeg een donkere trui, een donkere broek, een donkere hoed en over zijn schouder hing een donkere zak.

Deze man was een beroepsinbreker, die om zijn vingervlugheid Sam Fingers genoemd werd. Hij pikte alles waar hij de hand op kon leggen: kandelaars, videorecorders, juwelen, bontjassen ... Terwijl mevrouw West boven rustig lag te slapen, deed hij beneden zijn werk en hij sloeg daarbij geen kast en geen lade over.

Toch was hij bitter teleurgesteld door wat hij in het huis van de familie West aantrof. Er viel veel minder te halen dan in de meeste andere huizen in zijn wijk. Niet eens een kleurentelevisie! Toch slaagde hij er nog in zijn zak met allerlei spulletjes te vullen en hij stond al op het punt het huis weer te verlaten toen hij de doos bonbons zag, die mevrouw West weer in de keukenkast gezet had.

Sam hield helemaal niet van bonbons, maar gulzig als hij was (zoals de meeste dieven), graaide hij er een uit de doos en slikte hem meteen door, zonder zelfs te proeven hoe overheerlijk hij wel was. Hij wilde net de rest van de doos in zijn zak stoppen als een cadeautje voor zijn vrouw, die binnenkort weer uit de gevangenis kwam, toen hij zich plotseling niet lekker voelde. Helemaal niet lekker. Hij werd duizelig, zijn maag draaide om en het zweet brak hem uit.

Sam Fingers liet een laatste, luide boer en viel toen dood neer op de keukenvloer.

4 EEN TWEEDE AANSLAG

Een week nadat alle opschudding weggeëbd was en de politieagenten, de journalisten en de buren weer vertrokken waren, zaten Robin en Mary op een bank in het park van Pinner de duiven te voeren. De meesten van hun vrienden waren op vakantie in het buitenland en ze moesten er samen wat van zien te maken.

Ze hadden nog altijd niet het flauwste idee waar de bonbons vandaan gekomen waren. De managers van het warenhuis hadden natuurlijk bij hoog en bij laag volgehouden dat zij de bonbons niet gestuurd hadden. Maar Robin en Mary wisten allebei dat ze ternauwernood aan de dood ontsnapt waren. Als die domme Fingers geen bonbon opgegeten had, zouden ze het waarschijnlijk zelf gedaan hebben.

Maar wat het meest beangstigende van het hele gebeuren was, was nog altijd niet tot Robin doorgedrongen en ook niet tot de politie of tot mevrouw West. De enige die er wel over nadacht, was Mary.

'Robin,' zei ze, 'waarom zou iemand jou willen vermoorden?'

'Vermoorden? Mij?' stamelde Robin. 'Hoe bedoel je, Mary?'

'De bonbons waren toch aan jou geadresseerd?'

'Dat zal wel een vergissing geweest zijn. Dat zei de politie toch ook. Waarom zou iemand mij nou willen vermoorden?'

'Dat vroeg ik net,' zei Mary. 'Of je het leuk vindt of niet, jouw naam en jouw adres stonden op het pakje.'

'Het lijkt wel of je me bang wilt maken,' zei Robin. 'Dat zou toch volkomen belachelijk zijn.'

'Ik hoop dat je gelijk hebt,' zuchtte Mary.

Ach! Als ze op dat moment om zich heen hadden gekeken, hadden ze gezien dat er alle reden was om bang te zijn. Terwijl ze de duiven voerden, reed er op de weg langs het park een glanzende, zilverkleurige Mercedes voorbij. Als ze hadden kunnen zien wie er in die wagen zat, zouden ze de eerstvolgende trein naar China genomen hebben. Als ze ook nog geweten hadden dat die duistere figuren Spin en Muss Quito waren, de meest gevreesde huurmoordenaars van Boeven tegen Betaling & Co, en dat die twee een foto van Robin bij zich hadden, dan waren ze waarschijnlijk ook nooit meer teruggekomen.

Spin was een kleine, geblokte man met een grote ragebol van zwart krulhaar en met belachelijk dunne en dik behaarde armen en benen. Zijn bolle ogen zaten zowat aan de zijkant van zijn hoofd en zijn mond was voortdurend vertrokken in een gemene grijns. Muss Quito, die aan het stuur zat, was ongewoon lang en schraal. Zijn grijze haar zat als prikkeldraad om zijn magere kop. Hij was een flink stuk ouder dan Spin en alles aan hem was grijs, behalve zijn twee voortanden, die wit en scherp als slangentanden over zijn onderlip hingen.

'Muss,' zei Spin.

'Ja, Spin,' antwoordde Muss.

'Hoe heet dat jongetje ook alweer?'

'Robin West,' bromde Muss.

'Nog maar twaalf jaar oud,' mijmerde Spin.

'Nou en?'

'Ik vroeg me af ...'

'Heb je soms last van je geweten, stomme idioot?' siste Muss.

'Hij zou mijn zoon kunnen zijn.'

'En wat is er met jouw zoon gebeurd, Spin? Die is in een liftkoker gevallen.'

'Dat was een ongeluk, Muss. Ik was met hem aan het spelen.'

'En nu mag je met die jongen, Robin West, spelen. Gesnopen, Spin?'

'Ja, Muss,' antwoordde Spin. 'Jij bent de baas, Muss.'

Ze reden zonder nog iets te zeggen verder. Na enige tijd haalde Spin een pakje uit het handschoenenkastje.

'Wat ga je doen, Spin?' vroeg Muss.

'De bom afstellen, Muss,' zei Spin.

'Idioot! Halvegare! Onhandige sul!' brulde Muss. 'Hoe haal je het in je hersens om de bom af te stellen in de auto?'

'Ik ... Ik ...' hakkelde Spin.

'En als ik voor de lol een paar smerissen ondersteboven zou rijden, wat dan? De minste schok zou de hele boel doen ontploffen. Wat heb ik toch misdaan dat ik moet werken met zo'n achterlijke mafkees als jij?'

'Sorry, baas. Ik wilde je niet kwaad maken,' mompelde Spin, terwijl hij snel het pakje weer op zijn plaats legde.

Enkele ogenblikken later parkeerde Muss de wagen aan de kant van de weg.

De beide mannen stapten uit en wandelden op hun gemak naar een winkel in de buurt. Het was uitgerekend de kruidenierswinkel annex krantenzaak van meneer Sylvester. Muss had inlichtingen ingewonnen over Robin en dacht dat die nog altijd zijn krantenwijkje had. Hij was daarom van plan het pakje met de bom in Robins tas te laten glijden en keek rond of hij die ergens zag.

Toen de twee moordenaars zijn zaak binnenkwamen, was meneer Sylvester net stiekem de plaatjes uit de pakjes kauwgum aan het halen. Hij schrok zo van de ongure gestalten van Spin en Muss Quito, dat hij bijna opnieuw in de diepvries viel. Nooit eerder in zijn leven had hij zo'n boosaardig stel gezien. De een lang en mager, de ander klein en dik, en allebei helemaal in het zwart gekleed. Ze waren net geesten uit een nachtmerrie.

'Kan ik de ... heren ergens mee van dienst zijn?' hikte hij.

'Ik wil een pakje vissticks kopen,' zei Muss zo beleefd als hij maar kon.

'Ik lust geen vis,' fluisterde Spin.

'Hou je mond, jij clown,' siste Muss, terwijl hij zijn medeplichtige een flinke trap tegen de schenen gaf.

Meneer Sylvester deed een papiertje om het pakje met de vissticks en gaf het aan Muss. Toen hij per ongeluk diens vingers raakte, voelde hij een ijzige kou die hem deed sidderen.

'O ja,' zei Muss terwijl hij afrekende, 'komt die alleraardigste krantenjongen hier morgenvroeg de ochtendbladen ophalen?'

'Alleraardigste krantenjongen,' herhaalde meneer Sylvester. 'U bedoelt toch niet Robin West?'

'Juist, die! Een schat van een jongen,' zei Muss.

'Als de heren op zoek zijn naar Robin West, zullen ze hem hier niet vinden,' wond meneer Sylvester zich op. 'Een klein monster, dat is het! Hebt u niet gehoord van die vergiftigde inbreker? Ik weet wel zeker dat hij het gedaan heeft. Nooit eerder heb ik zo'n ...'

'Werkt hij hier niet meer?' onderbrak Muss hem.

'Nee,' antwoordde de kruidenier. 'Ik heb hem vorige week de zak gegeven, geen moment te vroeg.'

Muss vertrok geen spier toen hij dit hoorde, ook al besefte hij dat hij nu zijn plannen zou moeten wijzigen. Hij schonk meneer Sylvester zelfs een innemende glimlach. Zo zou hij tenminste zelf de grimas om zijn mond genoemd hebben die andere mensen alleen maar de stuipen op het lijf joeg.

'Vertel de kleine Robin alstublieft niet dat we naar hem gevraagd hebben,' zei hij. 'Ik ben namelijk zijn oom Sidney uit Florence.'

'En ik zijn oom Florence uit Sydney,' zei Spin, waarna een langgerekt 'Aaargh!' volgde omdat Muss hem weer een lel tegen zijn schenen gaf.

'Jawel,' ging Muss verder, 'ik heb een cadeautje meegebracht voor mijn aardige neefje, maar ik wil hem ermee verrassen. Als hij zou weten dat ik hier ben, is er voor hem geen lol meer aan.'

'Ik kan alleen maar zeggen dat Robin West een akelig kereltje is,' bromde meneer Sylvester. 'Als ik in de schoenen van de beide heren stond, zou ik hem eens een flink pak ransel geven. Laat ik u dit vertellen ...'

Maar voor hij zijn zin kon afmaken, draaiden zijn twee sinistere klanten hem de rug toe en verlieten de winkel, zonder de vissticks.

Nu was meneer Sylvester een van die mensen die altijd het laatste woord willen hebben. Toen hij in de lunchpauze toevallig Robin en Mary in het park zag zitten, ging hij meteen op hen af, met een minachtende glimlach om de lippen.

'Hé, West,' riep hij al van ver.

'Hallo,' zei Robin beleefd.

'Zeg geen hallo tegen mij, snotneus,' viel meneer Sylvester bars en onredelijk tegen hem uit. 'Ik heb vanmorgen je oom Florence en je oom Sidney ontmoet. Ze willen je komen verrassen.'

'Ooms?' begon Mary.

'Je mond houden als grote mensen praten,' blafte meneer Sylvester. 'Ze hadden een cadeau voor je bij zich, maar ik heb hun verteld wat voor een akelig kereltje je bent. Ik hoop dat ze nu van gedachten veranderd zijn. Jongens als jij verdienen geen cadeaus. Een flink pak slaag, dat moet jij hebben! Vroeger op school kreeg ik het hele jaar lang twee keer per dag een flink pak voor mijn broek en dat heeft me geen kwaad gedaan. O nee! Ik vond het eigenlijk best wel lekker!'

En met een laatste akelige lach ging meneer Sylvester weer terug naar zijn winkel.

Mary en Robin waren behoorlijk ondersteboven. Om te beginnen wisten ze natuurlijk maar al te goed dat ze geen oom Sidney en geen oom Florence hadden.

'Wat zou hij toch willen?' vroeg Robin.

'Ik weet het niet,' antwoordde Mary.

'Het bevalt me helemaal niet,' zei Robin.

'Je denkt toch niet ...' zei Mary, maar ze maakte haar zin niet af. Robin en zij waren nog diep geschokt door de affaire met de bonbons. Ook al hadden ze er niet echt over gepraat, ze waren allebei bang dat Robins geheimzinnige vijand opnieuw zou toeslaan. Het ergste was dat de politie ervan overtuigd was dat het vergif voor iemand anders bestemd was en dat ze daarom Robin geen enkele bescherming bood. Iets wat zeker wel gebeurd zou zijn als hij een filmster of een politicus of zelfs maar een heel klein beetje beroemd was geweest.

Een minuut lang zwegen ze. Toen zei Robin: 'Luister, Mary. Ik denk dat we maar beter meteen naar huis kunnen gaan.'

'Dat denk ik ook,' zei Mary.

'Maar we moeten ieder apart teruggaan.'

'Waarom?' vroeg Mary.

'Het ziet ernaar uit dat ze mij moeten hebben. De bonbons waren toch ook voor mij bestemd. Misschien hebben die zogenaamde ooms niets te betekenen, maar als dat wel zo is, kun je beter niet bij mij in de buurt zijn. En als het moet, kan ik sneller rennen dan jij.'

Mary wilde liever bij haar broer blijven, maar tegen zijn argumenten kon ze niets inbrengen. Ze spraken dan ook af dat ze ieder via een andere route naar huis zouden gaan en dat ze zich zouden gedragen alsof er niets aan de hand was om geen argwaan te wekken bij de twee vreemde ooms. Eenmaal thuis zouden ze alles aan hun moeder vertellen en haar vragen de politie te bellen.

Robin keerde via de langste route naar huis terug, door kleine steegjes en over stukken braakland. Hij werd door niemand gezien of tegengehouden. Maar Mary liep zonder omwegen dwars door het centrum van Pinner en dat was een vergissing.

Op de kruising van de hoofdweg met de straat waar ze woonde, toen ze al dacht dat ze zich voor niets zorgen had gemaakt, werd ze plotseling door een grote, harige hand ruw in de nek gegrepen. Geschrokken draaide ze zich om en keek recht in de bloeddorstige ogen van Spin.

'Neem me niet kwalijk, jongedame,' zei hij. 'Ik en mijn baas, eh, mijn goede vriend daar ...' – hij wees naar een schimmige figuur in de Mercedes aan de overkant van de straat – '... vroegen ons af of je iets voor ons zou willen doen.'

'Eh ... eh ... ja?' stamelde Mary.

Spin haalde een met veel papier omwikkeld pakje tevoorschijn. Het tikte luid.

'Heb ik het goed als ik zeg dat jouw broer niemand minder is dan die geweldige knul, Robin West?'

'Eh ... eh ... ja,' stotterde Mary opnieuw, nog angstiger dan eerst.

'Hij heeft dit cadeau gekocht als een verrassing voor jullie lieve moeder. Denk je dat je hem in de komende ...' – hij keek op zijn horloge – 'vier en een halve minuut zult zien?'

'We gaan zo lunchen,' fluisterde Mary, nauwelijks in staat tot praten.

'Zou je dan zo vriendelijk willen zijn hem deze bom te geven?'

'Een ... bom?' riep Mary.

'Nee! Nee! Zei ik dat echt?' Spin schudde zijn hoofd en rolde met zijn ogen. 'Het is een klok. Maar die heeft een bom geld gekost! Dat wilde ik zeggen. Wil je die aan hem geven?'

'Ja,' fluisterde Mary.

'Dan is dit voor jou.' Spin gaf haar een kwartje. 'Daar kun je wat snoepjes voor kopen, liefje. Maar nu eerst de klok naar je broer brengen.'

Zo snel als zijn benen hem konden dragen, haastte Spin zich daarna de straat over.

Mary rende de hoek om, stopte en hield het pakje tegen haar oor. Het tikte erg luid. Mary dacht na. Haar moeder had haar één ding altijd goed voorgehouden: neem nooit iets aan van een vreemde.

Ze draaide het pakje om en om tussen haar vingers. Ze moest het zien kwijt te raken, dat wist ze zeker. Robin had haar trouwens niets over een klok verteld. Maar als hij die nu toch eens gekocht had en hun wilde verrassen? Dan zou hij woedend zijn als ze het pakje zomaar weggegooid had, alleen omdat ze bang was. Maar wie waren die twee mannen in de Mercedes? Als dat de twee ooms waren die meneer Sylvester had bedoeld, dan was het allemaal vast niet pluis.

Er was niet meer dan een minuut voorbijgegaan, maar het leek alsof ze het pakje al uren tegen zich aangeklemd hield. Toen nam ze een besluit. Ze had er verkeerd aan gedaan het pakje van de vreemde man aan te nemen en daarom moest ze het maar weer aan hem teruggeven.

Het verkeer op de hoofdweg stond stil voor het stoplicht, zodat Mary snel kon oversteken. Tussen de andere auto's door sloop ze naar de Mercedes, die nog altijd op dezelfde plek stond.

Stapje voor stapje kwam ze bij de achterkant van de wagen. Ze deed de achterklep, die gelukkig niet op slot zat, open, net ver genoeg om het pakje naar binnen te laten glijden. Zachtjes deed ze daarna het deksel weer dicht en maakte dat ze wegkwam.

In de auto telde Muss op zijn horloge de seconden mee. 'Je weet toch wel zeker dat ze het aan haar broer zal geven?' vroeg hij voor de zoveelste keer.

'Ja, baas,' antwoordde Spin.

'Uitstekend,' bromde Muss. 'Nog dertig seconden en de hele familie West vliegt de lucht in. Wat een schitterend plan! Geen wonder dat ik de best betaalde huurmoordenaar ben van Boeven tegen Betaling & Co.'

'Je bent geweldig, Muss, geweldig,' zei Spin.

'Het aftellen begint NU!' juichte Muss. '20 ...19 ...18 ...'

'Wacht even, Muss,' probeerde Spin hem te onderbreken.

'17 ...16 ...15 ...' ging Muss onverstoorbaar verder.

'Muss!'

'Ja?'

'Hoor jij ook dat gekke geluid in de kofferbak?'

'Wat voor een gek geluid?'

Het gezicht van Spin was groen geworden. 'Een soort ... getik?'

'Een wat?' vroeg Muss ongelovig.

'Er tikt iets in de kofferbak, baas,' jammerde Spin.

'In de kofferbak!' krijste Spin terwijl hij naar de deurklink greep.

Het getik overstemde nu alles.

'Jij dwaze, achterlijke ...' begon Muss.

Precies op dat moment spatte de auto in rook en vlammen uit elkaar.

5 OP DE VLUCHT!

Robin was net thuisgekomen en wilde zijn moeder vertellen over die twee vreemde mannen, toen hij door een enorme knal onderbroken werd. Het hele huis stond op zijn grondvesten te trillen en verderop in de straat braken een heleboel ruiten. Mevrouw West dacht dat daar wel ergens een geiser gesprongen moest zijn, maar Robin vreesde iets heel anders! Samen renden ze de straat op, waar zich al veel mensen verzameld hadden.

Er heerste een complete chaos. In de verte klonken de sirenes van politieauto's en brandweerwagens. Bij de hoek van de Windsor Gardens dreef een vette rookwolk de hemel in, wat de verwarring nog groter maakte. Mensen holden schreeuwend door de straat en honden jankten. De herrie was zo oorverdovend dat een paar gepensioneerden zich weer in de oorlog waanden en op zoek gingen naar een schuilkelder. Een vrouwelijke parkeerwachter, bij wie door de kracht van de explosie de kleren van het lijf waren gerukt, doolde verdwaasd rond en probeerde bonnen op mensen vast te kleven.

Langzamerhand drong er enig nieuws door. De politie had de wrakstukken van een Mercedes gevonden. De auto, zo zei men, zou opgeblazen zijn, maar als door een wonder was er niemand gedood. Wel waren de twee inzittenden meteen overgebracht naar het ziekenhuis. De straat was herschapen in een verschrikkelijke puinhoop, met overal glasscherven en brokstukken metaal. Een lantaarnpaal was als een raket de lucht in gegaan en op zijn kop weer neergekomen, dwars door het dak van de kruidenierszaak van meneer Sylvester.

Ondanks de rook en het af- en aanrijden van politiewagens en ambulances lukte het Robin in de drukte zijn zusje te vinden. Al was ze dan door de bom niet gewond, toch zat haar gezicht onder het roet en was haar jurk gescheurd. Zodra ze Robin zag, barstte ze in tranen uit.

'Ik ben een moordenares,' snikte ze. 'Ik heb die twee mannen gedood.'

Robin drukte haar stevig tegen zich aan en zei dat er niemand dood was. Toen vertelde ze hem het hele verhaal. Het was nu wel zonneklaar dat de zogenaamde ooms inderdaad van plan waren geweest Robin te vermoorden, maar hij was meer verbaasd dan angstig. Wie zou hem nu kwaad willen doen? Niet dat hij geen vijanden had. Meneer Sylvester, om maar eens iemand te noemen. En vorig jaar had hij op school een vechtersbaas die hem steeds lastigviel, een bloedneus geslagen. Ook de buurman was niet bepaald een vriend te noemen, zeker niet na dat ongelukkige incident waarbij zijn tuinhuisje in vlammen opgegaan was. Maar geen van hen zou toch zulke krankzinnige dingen doen om het hem betaald te zetten.

'We mogen het aan niemand vertellen,' zei Mary. 'Ze zullen me opsluiten als ze erachter komen.'

'Ben je mal,' zei Robin. 'Jij kon er niets aan doen. Jij hebt de bom toch niet in elkaar gezet? Je hebt die alleen maar daar neergelegd. En als je het niet gedaan had, waren we zelf de lucht in gegaan.'

Toch besloten ze voorlopig niemand iets te vertellen over hun aandeel in de explosie. Misschien vind je dat wel een beetje vreemd. Maar ze wilden vooral hun moeder niet bang maken. En al was de ontploffing dan niet hun schuld, als je een beetje nadenkt, moet je toch toegeven dat het nog vreemder zou zijn als een elfjarig meisje het politiebureau binnen zou wandelen met de mededeling: 'Hallo! Ik heb net twee mensen opgeblazen en de hoofdstraat in puin gelegd.'

Nee. Ze wilden nu eerst maar even afwachten wat er verder ging gebeuren. Misschien zou alles weer rustig worden nu ook deze tweede moordpoging mislukt was. Trouwens, zo beweerde Robin, het kon nooit lang duren voor de politie de vergiftiging en de explosie met elkaar in verband zou brengen.

Het zou inderdaad niet lang duren voor de politie huize West weer opzocht, maar dan wel op een heel andere manier dan Robin en Mary hadden verwacht.

De volgende dag tijdens zijn ontbijt hoorde Frederick op de radio het nieuws over de explosie in Pinner. Tot verbijstering van de kok, die hem net van een zilveren schaaltje zijn vijftiende sneetje met ham serveerde, sprong Frederick op uit zijn stoel, greep Gervaise bij de armen en begon met hem de kamer rond te walsen, terwijl hij hardop zong: 'Ze hebben hem te pakken! Ze hebben hem te pakken!' Hij dacht natuurlijk dat Spin en Muss hun opdracht tot een goed einde hadden gebracht.

Vijf minuten later rinkelde echter de telefoon en werd hij door het hoofd van Boeven tegen Betaling & Co (een zekere juffrouw Crippen) op de hoogte gebracht van wat er echt gebeurd was. Zij legde hem uit dat haar twee beste moordenaars er op de een of andere manier – zij wist ook niet precies hoe – in geslaagd waren zichzelf op te blazen en dat de 'cliënt' (waarmee ze Robin bedoelde) ongedeerd gebleven was. Maar, zo verzekerde ze Frederick, zodra Muss en Spin uit het ziekenhuis kwamen, zouden ze er opnieuw tegenaan gaan en dat natuurlijk zonder extra kosten voor Frederick.

'Ik beloof u dat we niet zullen rusten voordat we uw opdracht uitgevoerd hebben,' bezwoer de stem aan de andere kant van de lijn hem. 'Denkt u maar aan onze slogan.'

'Hoe luidt die dan?' vroeg Frederick.

'*Wij leveren de dood op bestelling.*'

'Daar zou ik dan maar eens mee opschieten,' snauwde Frederick.

Er klonk een klik en daarmee was in ieder geval de telefoon het zwijgen opgelegd.

De rest van de ochtend was Frederick absoluut niet te genieten. Hij keilde het hele ontbijtservies het raam uit, stak zijn tong uit tegen de kok en mokte. Hij mokte wel een uur lang, maar overdacht intussen een aantal mogelijkheden. Al was Frederick een ramp wat lezen en schrijven betrof, een nul in rekenen, een sukkel in geschiedenis, een kluns in Frans en in alle andere vakken die je op school leert, wat gemeenheid betrof, stak hij iedereen naar de kroon. En hij had een idee.

Hij ging de geheime kamer weer in en opende de archiefkast met het opschrift *Chantage*. Het dossier met de commissarissen haalde hij eruit en hij las het van voor tot achter, met een boosaardige grijns om de lippen. Ten slotte pakte hij de telefoon en toetste een nummer in.

'Hallo, met Scotland Yard,' zei een stem.

'Ik wil met commissaris Hercule Cramp spreken, het hoofd van Scotland Yard,' zei Frederick.

'Hercule Cramp hier,' klonk het even later. 'Als ik uw stem hoor, zou ik zeggen dat u een zevenentwintigjarige vrouw bent, een beetje kreupel, die een paar diamanten mist en mij nu om hulp wil vragen.'

'Mis!' zei Frederick. 'Ik ben Frederick K. Bower.'

'O nee!' kreunde de stem.

'Ik wil je spreken, Cramp. Zorg dat je over tien minuten hier bent.'

'Ik heb het druk,' sputterde Cramp tegen.

'Ik heb je dossier net doorgelezen,' zei Frederick, en hij gooide de hoorn zo hard op de haak, dat de telefoon doormidden brak.

Het verhaal dat Frederick in het dossier van Cramp gelezen had en dat hem in staat had gesteld het hoofd van Scotland Yard bij zich te ontbieden, was niet het minste. Al twintig jaar leefde Hercule Cramp met een vreselijk geheim.

Als jong agentje met een wijk in Soho was hij regelmatig naar een van die armoedige clubs gegaan die je daar zoveel vindt. De club heette Pump and Jumper en Cramp had er heel wat gelukkige uren doorgebracht terwijl hij genoot van een glas limonade en het schouwspel van bijna geheel ontblote dames.

Op een van die dames was Hercule Cramp verliefd geworden. Het was een danseres die Lola heette. Ze danste niet alleen, maar zong ook ongepaste liederen en deed heel ongewone dingen met een paar hoge laarzen. Ten slotte was Cramp met haar getrouwd. Ze had haar baan opgegeven en als iemand haar wel eens vroeg wat ze voor hun huwelijk gedaan had, zei ze dat ze verpleegster was geweest. Als bekend zou worden dat een politieman zich in zulke duistere gelegenheden opgehouden had, zou dat natuurlijk het einde van zijn carrière betekenen. Dit was Hercule Cramps diepste geheim, dat alleen hijzelf en zijn vrouw Lola kenden.

Totdat Sir Montague er op de een of andere manier achter gekomen was en er Cramp mee begon te treiteren en te chanteren. Die moest toen noodgedwongen de ogen sluiten voor sommige duistere praktijken van Bowers Bouwbedrijf.

Verder was Cramp een door en door eerlijke, keiharde werker, die als politieman echter totaal ongeschikt was. Hoe hard hij ook zijn best deed, nog nooit in zijn leven had hij een boef weten te pakken. Zoals elke speurder ging hij op zoek naar aanwijzingen en ondervroeg mensen, maar zijn gevolgtrekkingen waren altijd, zonder uitzondering, volkomen verkeerd.

Toen Cramp aanbelde, werd hij door Gervaise naar de werkkamer gebracht. Frederick zat daar achter het bureau op hem te wachten, terwijl hij op een lolly zoog.

'Ik zou zeggen dat u me gevraagd hebt hier te komen in verband met het bezoek van een eenogige dwerg uit Bolivia die u kwam vertellen dat hij met uw tante wil trouwen,' concludeerde Cramp.

'Niet te geloven!' lachte Frederick. 'Hoe krijg je het voor elkaar, Cramp? Je zit er weer helemaal naast.'

'Waar moet ik dan voor komen?' vroeg Cramp. 'Ik dacht dat ik eindelijk verlost was van de familie Bower.'

'Rustig maar, Cramp, rustig maar,' suste Frederick. 'Nu we het toch over families hebben, hoe gaat het met Lola?'

'Laat mijn vrouw erbuiten, ellendeling,' steigerde Cramp.

'Als je me gaat uitschelden, zou ik wel eens wat details over haar aan de krant kunnen doorbellen,' zei Frederick.

'Nee, wacht even ...' stamelde Cramp, die bleek wegtrok.

'Maak je niet druk, Cramp,' onderbrak Frederick hem. 'Er is nog niets aan de hand. Ik heb je trouwens alleen maar hier laten komen omdat ik je wil helpen.'

'Mij helpen?' vroeg Cramp.

'Ja zeker. Ik hoorde op de radio het nieuws over de explosie in Pinner.'

'Mijn mannen zijn bezig de zaak te onderzoeken,' zei Cramp. 'Uit wat ik gehoord heb, leid ik af dat hier een groep Servo-Kroaten aan het werk is die de wereld wil vernietigen.'

'Weer mis!' zei Frederick. 'Maar ik kan je helpen. Ik heb belangrijke informatie voor je.'

'Ga verder,' zei Cramp.

'In Pinner woont een jongen die Robin West heet ...'

'Die was onlangs betrokken bij een vergiftigingszaak,' herinnerde Cramp zich.

'Niks betrokken! Hij vergiftigde de inbreker,' sprak Frederick op besliste toon. 'En nu blaast hij onschuldige mensen op.'

'Hij is nog maar twaalf!' riep Cramp uit.

'Hij is jong begonnen,' zei Frederick. 'En wie weet wat hij nog allemaal van plan is?'

'Mijn God,' fluisterde Cramp. 'Bent u daar wel zeker van?'

'Natuurlijk,' antwoordde Frederick. 'En als je niet opschiet, ontsnapt hij nog. Je moet hem voor altijd en eeuwig in de gevangenis opsluiten. Je kunt maar beter nu meteen achter hem aan gaan.'

Cramp sprong op en in zijn opwinding gooide hij zijn stoel om. 'Mijn oprechte dank, Frederick,' zei hij. 'Het is bijzonder aardig dat u mij dit verteld hebt.'

'Ik doe alleen maar mijn plicht, Cramp,' antwoordde Frederick. 'En nu, opschieten!'

Cramp rende naar de deur. Toen hij die opendeed, hield Frederick hem tegen. 'Nog iets. Als ik jou was, zou ik zorgen dat alle agenten tot de tanden toe gewapend zijn. En meteen schieten als het nodig is. Die jongen is levensgevaarlijk.'

'Afgesproken. Na de thee gaan we meteen naar de politie om te vertellen wat er gebeurd is.'

Mary knikte. Ze zat met Robin in haar slaapkamer, al hadden ze hun moeder verteld dat ze naar de bioscoop zouden gaan. Maar ze waren absoluut niet in de stemming voor een film en praatten al uren over de situatie waarin ze verzeild waren geraakt. Maar nu ze eenmaal een besluit genomen hadden, voelden ze zich allebei opgelucht.

'Daarmee komt een eind aan al onze problemen,' voorspelde Robin.

Was dat maar zo! Hun problemen waren nog maar nauwelijks begonnen! Net op dat moment arriveerde immers de politie. Het ene moment was de straat verlaten, het volgende moment was, onder het gieren van banden en het loeien van sirenes, het huis helemaal omsingeld. Niet minder dan tien politiewagens hielden loeiend halt voor de deur. Uit politiebusjes sprongen agenten in kogelvrije vesten die snel dekking zochten, met het geweer in de aanslag. Scherpschutters namen plaats op de daken van de omliggende huizen. Politiehonden huilden en sjorden aan hun riem in de hoop hun tanden te kunnen zetten in een of andere ongelukkige boef.

In minder dan een minuut was de hele straat afgezet. Alles werd weer rustig, op het grommen van de honden na. Toen stapte commissaris Cramp naar voren, gedekt door talloze geweren. Langzaam bracht hij een megafoon naar zijn mond.

'Robin West!' schreeuwde hij. 'Hier is de politie. We weten dat je binnen bent. Het huis is omsingeld. Je hebt geen enkele kans. Kom langzaam naar buiten met je handen omhoog. Je hebt precies een minuut. Daarna openen we het vuur.'

In het huis waren Robin en Mary, die vanuit het bovenraam de aankomst van de politie gadegeslagen hadden, lijkbleek geworden. Robin was sprakeloos. Hij was zo bang, dat hij zich niet meer kon bewegen. Iedere spier in zijn lichaam leek van marmer.

Een halve minuut – het leek wel een halfuur – ging voorbij. Toen ging de voordeur open en stapte mevrouw West, die in de keuken in de weer was geweest, de straat op.

'Hallo?' zei ze, en ze keek alsof ze haar ogen niet kon geloven.

'Ik zou zeggen,' brulde Cramp terwijl hij achter een auto in dekking sprong, 'ik zou zeggen dat jij de leider van de bende bent en een uiterst gevaarlijke crimineel.'

'De brutaliteit!' antwoordde mevrouw West vinnig. 'Ik ben de moeder van Robin. Bent u op zoek naar hem?'

'Is hij binnen?' vroeg Cramp.

'Nee. Hij is naar de bioscoop,' antwoordde mevrouw West. Dat had Robin haar immers verteld.

'De bioscoop!' riep Cramp. 'Vooruit, mannen! Naar de bioscoop! Met een beetje geluk kunnen we zelfs nog wat zien van de tekenfilm.'

Opnieuw gierden de banden, blaften de honden, snerpten de fluitjes en brulden de motoren. De hele politiemacht stoof de straat weer uit, op weg naar de bioscoop. Mevrouw

West, die nog altijd niet zeker wist of ze wakker was of droomde, ging de keuken weer in en wijdde zich weer aan het koken.

Boven staarden Robin en Mary elkaar verbijsterd aan. Hoe dacht je dat jij je zou voelen als een geheimzinnige vijand tot tweemaal toe geprobeerd had je te vermoorden en als je tot overmaat van ramp plotseling ook nog gezocht werd door de politie? Robin had niet eens de tijd om daarover na te denken, want hij begreep wel dat de politie meteen zou terugkeren wanneer hij niet in de bioscoop bleek te zijn.

'We moeten ervandoor,' zei hij.

'Weglopen?' vroeg Mary.

'We hebben toch geen keus?'

Ze waren zo van streek door de gebeurtenissen van de afgelopen week, dat ze niet in staat waren nog rustig over de zaak na te denken. De gedachte gearresteerd te worden en met handboeien om in een politiebusje te worden geduwd, terwijl de buren toekeken en hem misschien zouden uitlachen, was meer dan Robin kon verdragen.

Wat Mary betrof, het idee haar broer aan zijn lot over te laten kwam niet eens bij haar op. Zonder nog langer te wachten, liepen ze de trap af en slopen langs de keuken waar mevrouw West, die het hele voorval met de politie alweer was vergeten, een vrolijk lied zong. Toen Robin haar handtas in de hal zag staan, deed hij iets wat hij nog nooit gedaan had. Hij haalde er vijf pond uit zonder het haar te vragen.

Toch schreef hij nog vlug een briefje voor haar, met de volgende boodschap:

Liefste mam,

Mary en ik zijn volkomen onschuldig, maar ik wil niet gearresteerd worden voor iets wat ik niet gedaan heb. Daarom zijn we weggegaan en we komen niet terug vóór we weten wat er aan de hand is.

Veel liefs,
Robin

P.S. Ik heb vijf pond uit je handtas geleend.
P.P.S. Maak je geen zorgen.

Hij legde het briefje op de tafel zodat zijn moeder het zeker zou vinden. Daarna gingen hij en Mary de straat op, waar gelukkig niemand te zien was.

Maar ze hadden nauwelijks twee stappen gedaan toen het lawaai van naderende sirenes hen waarschuwde dat de politie alweer in aantocht was. Hand in hand doken ze het meest nabije steegje in en renden zo snel als hun voeten hen dragen konden.

Waar ze heen gingen? Dat wist geen van beiden. Alles wat ze wilden, was zo ver mogelijk weg zijn.

6 GEZOCHT!

Twee uur nadat Robin en Mary ervandoor gegaan waren, werd het huis van mevrouw West door de politie ondersteboven gehaald. In elke kamer waren agenten. Ze openden kasten en keerden laden om, scheurden kussenslopen aan flarden, snuffelden in de suikerpot en woelden in de planten. Terwijl ze grote wolken poeder rondstrooiden, zochten rechercheurs elke centimeter van het meubilair af naar vingerafdrukken.

Overal hingen journalisten en fotografen rond die aanhoudend vragen schreeuwden en hun camera's lieten flitsen. Een paar buren, onder wie meneer Sylvester, waren uit nieuwsgierigheid ook naar binnen gelopen en liepen met hun vuile voeten over het schone tapijt.

Te midden van al die drukte zat mevrouw West in een leunstoel. Ze was volkomen van de kaart en had geen idee wat er allemaal gebeurde. Niemand nam de moeite haar iets uit te leggen. In haar ene hand had ze een kop thee en in haar andere klemde ze een snee wit brood die ze soms, als een zakdoek, naar de ogen bracht.

'Vertel eens wat over uw zoon,' drongen de journalisten aan.

Maar mevrouw West barstte in snikken uit.

De moeder die bittere tranen huilt om haar zoon, schreven de journalisten.

‘Die kleine ellendeling probeerde me in mijn eigen vrieskist op te sluiten,’ raasde meneer Sylvester, die er alles voor overhad om zijn naam in de kranten te krijgen.

Schrok er niet voor terug om de lokale kruidenier bijna naar de andere wereld te helpen, noteerden de journalisten.

‘En in plaats van *De kerkbode* bezorgde hij bij de dominee de *News of the World,*’ ging meneer Sylvester verder.

Joeg met foto’s van naakte vrouwen de dominee de stuipen op het lijf, krabbelden de journalisten in hun blocnotes.

‘Hij is niet lastiger dan andere jongens van zijn leeftijd,’ snikte mevrouw West.

Lastiger dan andere jongens van zijn leeftijd, citeerden de journalisten haar.

‘Jongens als West moeten eens flink afgedroogd worden,’ bromde meneer Sylvester. ‘Ik zou het graag zelf gedaan hebben. Een pak ransel op zijn tijd is nog altijd de beste remedie. Wil iemand misschien mijn collectie roeden zien?’

Nauwelijks een week geleden was Robin West een doodgewone, aardige jongen van twaalf geweest. Maar tegen de tijd dat de journalisten klaar waren met het afvuren van hun vragen (en het drinken van alle whisky ten huize West) en de eerste edities van de avondkranten van de persen rolden, was hij de meest gezochte en de meest gevreesde misdadiger van het hele land.

Nadat ze op het nippertje aan de politie ontsnapt waren, hadden Robin en Mary de hele weg tot aan het metrostation gehold. Ze hadden kaartjes gekocht naar Piccadilly

Circus, in het centrum van Londen, in de hoop dat de politie tussen al die mensen het spoor bijster zou raken.

Maar toen ze eenmaal op Piccadilly aangekomen waren, deden zich nieuwe problemen voor. Hoe moesten ze hun weg vinden in die gigantische stad? En waar konden ze de nacht doorbrengen met maar vijf pond op zak?

Na de rustige voorsteden was Londen zelf een nachtmerrie. Van alle kanten leken de auto's op hen af te komen. Honderden en nog eens honderden mensen liepen over de smerige stoepen, een eindeloze stroom die alle kanten op leek te gaan, ogenschijnlijk zonder enig doel. Het werd al donker en overal gingen enorme neonlampen aan die in flikkerende lichtreclames drank en sigaretten aanprezen. Louche types stonden achter wankele kraampjes met goedkope sieraden en souvenirs. Punks in leren jassen en met opzichtig gekleurde hanenkammen schuifelden langs, de blik op oneindig. Zwervers en hippies lagen tussen hun verkreukelde papieren tassen, waaruit ze af en toe iets te roken of te drinken opdiepten.

Robin en Mary moesten nu zien dat ze een hotel vonden. Urenlang dwaalden ze rond over Piccadilly Circus, zonder enig succes. Als ze er al in slaagden voorbij de norse portiers te komen, kregen ze steevast te horen dat een kamer voor een nacht zestig, zeventig, ja zelfs honderd pond kostte. Hun vijf pond, die eerst een klein fortuin had geleken, bleek hier bijna niets waard.

Om kwart voor tien waren ze uitgeput en zagen ze scheel van de honger. Ze waren nu op Leicester Square, niet ver van Piccadilly Circus en even druk en ongastvrij. Boven hun hoofden waren duizenden duiven op zoek naar een plaatsje voor de nacht. Ze floten en koerden op een bijna spookachtige manier.

'Laten we wat gaan eten,' stelde Robin voor.

'Waar?' slikte Mary. Ze moest zich bedwingen niet in tranen uit te barsten.

'Waar we een hamburger kunnen krijgen. Die kunnen we net betalen.'

Om de hoek was een snackbar. De patat was er klef, de hamburgers waren koud en de milkshakes waterig. Nadat Robin afgerekend had, hield hij nog maar een paar centen over.

'Prettige avond verder,' zei het meisje aan de kassa.

'Je moest eens weten,' mompelde Robin.

Ze aten langzaam, te moe om iets van het eten te proeven. Het smaakte trouwens ook naar niets. Ze durfden niet te praten over straks, over hoe het verder moest. Het was allemaal uit de hand gelopen. Teruggaan naar Pinner en zichzelf aangeven leek het enige wat ze nog konden doen.

Aan het tafeltje naast hen ging een slonzige, zwaar opgemaakte vrouw in een veel te krappe jurk zitten. Ze bladerde lusteloos in de *Evening Standard* en monsterde iedereen die binnenkwam. Het was duidelijk dat ze op iemand wachtte. Toen ze toevallig Robin in het oog kreeg, trok ze haar wenkbrauwen op en bladerde onmiddellijk terug naar de voorpagina.

Robin voelde dat het iets met hem te maken had. Vanuit zijn ooghoeken gluurde hij naar de krant. Toen zag hij het bericht, praktisch over de hele voorpagina.

GEZOCHT

De politie is vandaag een massale klopjacht begonnen naar de twaalfjarige Robin West, de gevaarlijkste misdadiger van Engeland. Commissaris Cramp, die de operatie leidt, noemde de jongen een ware maniak. 'In vergelijking met West is een bende bloeddorstige moordenaars niet meer dan een kudde lammetjes,' aldus de heer Cramp.

Ondanks zijn leeftijd heeft Robin West al heel wat op zijn kerfstok. In nauwelijks een week tijd heeft hij een inbreker vergiftigd en een Mercedes opgeblazen, met inzittenden. Verder wordt hij gezocht voor poging tot moord op de plaatselijke kruidenier, vandalisme, winkeldiefstal, brandstichting en het bezorgen van onzedelijke foto's bij de dominee.

Het huis van Robin West in Pinner, Windsor Gardens 64, was vanmiddag doelwit van een grootscheepse inval van de politie, maar helaas wist de jonge misdadiger op het allerlaatste moment te ontkomen. Hij heeft zijn zusje Mary als gijzelaar meegenomen. De politie neemt aan dat hij in Londen is ondergedoken.

BELONING

Vanuit zijn hoofdkantoor, Nieuw Bowerhuis, heeft Frederick Kenneth Bower een beloning uitgeloofd van 10.000 pond en levenslang gratis lolly's voor wie aanwijzingen kan verschaffen die leiden tot de opsporing en aanhouding van Robin West.

Tegenover journalisten verklaarde de heer Bower: 'Het is niet meer dan mijn plicht de mensen in Londen te beschermen tegen dit monster. Figuren als Robin West horen in de gevangenis thuis. Voor eeuwig en altijd!' De heer Bower is twaalf en een half jaar oud.

'Mary,' fluisterde Robin.

'Wat is er?' geeuwde Mary.

'Daar ... kijk!'

Mary volgde zijn blik en moest naar adem happen. Wat ze zag, was een foto van Robin met daaronder in koeien van letters het woord 'gezocht'. Op dat moment sloeg de vrouw de krant dicht en stond op, in paniek om zich heen kijkend.

'We moeten weg,' fluisterde Robin. 'Snel!'

Maar toen hij opstond, begon de vrouw te schreeuwen, blijkbaar in de veronderstelling dat hij op het punt stond haar aan te vallen.

'Politie! Politie! Help! Help me dan!' krijste ze.

Twee politieagenten die aan de toonbank koffie hadden zitten drinken, stormden op haar af, benieuwd waar al die herrie goed voor was.

Robin en Mary renden de straat op. Ze zouden ontkomen zijn als een dronken Londenaar hen niet van achteren vastgepakt had, in de overtuiging dat ze zonder betalen de snackbar wilden verlaten.

'Wat denken jullie wel niet ...' begon hij. Toen keek hij Robin aan en liet hem meteen los alsof hij gloeiend staal in de handen hield.

'Verdomme!' brulde hij. 'Dat is Robin West!' en hij viel flauw.

Voor de agenten bij de twee kinderen konden komen, had zich een grote menigte rond hen verzameld.

'Mon Dieu! Sacre bleu!' krijste een Fransman opgewonden.

'Donner und Blitzen!' balkte een Duitse toerist terwijl hij een foto van het gebeuren trachtte te maken.

'Haha! Als ik dit aan mijn kinderen vertel!' gilde een Amerikaanse dame terwijl ze door de opgewonden menigte onder de voet gelopen werd.

'Uit de weg!' brulden de agenten, die inmiddels begrepen wat er aan de hand was. 'Het is die gek uit Pinner. Hij is gevaarlijk!'

Het woord 'gevaarlijk' deed een huivering door de menigte gaan. Maar omdat steeds meer nieuwsgierigen op het tumult afkwamen, zag Leicester Square algauw zwart van de mensen.

De chaos was niet te overzien. Wie zich een weg wist te banen naar het centrum van de opwinding, trachtte daarna zo snel mogelijk weer weg te komen. Kleren werden aan flarden gescheurd. Een pruik vloog door de lucht, even later gevolgd door de eigenaar. Overal vielen mensen flauw. De twee politiemannen bliezen als gekken op hun fluitjes en weldra stortten nog meer agenten zich in het gewoel.

'Ze gaan ervandoor! Daar gaan ze!' gilde een vrouw plotseling.

Robin en Mary hadden zich in de algemene paniek uit de voeten gemaakt en renden het plein af.

De jacht was geopend! Niet minder dan zestien agenten gingen erachteraan. In hun zog volgde een immense menigte. Allemaal hoopten ze de 10.000 pond op te strijken die Frederick uitgeloofd had. Een hele buslading Japanse toeristen, die de blauwe politie-uniformen voorbij zag draven, stortte zich eveneens in de achtervolging, zonder te weten wat er aan de hand was. Zelfs een straatmuzikant die zich stond uit te sloven voor het publiek dat uit een bioscoop kwam, ging de menigte achterna, rinkelend, schallend en toeterend bij elke stap.

Robin en Mary waren zo bang, dat ze een ongekende snelheid bereikten. Ze kwamen uit op een voorrangsweg en renden er, zonder naar links of rechts te kijken, overheen. Een taxi remde bruusk, begon te slingeren en reed onder luid gerinkel van gebroken glas pardoes een winkel binnen.

Nog geen minuut later snelden de zestien agenten, de menigte, de Japanse toeristen en de straatmuzikant de straat over. Een Rolls Royce met nummerplaat FKB5 moest uitwijken, raakte de stoep en denderde met een hels gerinkel en akelig knarsen van metaal de trappen van een metrostation af.

Overal klonken angstige kreten en ergens in de straat werd gevochten. Maar Robin en Mary holden nog steeds verder.

Ze renden door bochtige straten, sloegen nu eens links en dan weer rechts af in een poging hun achtervolgers op een dwaalspoor te brengen. Maar zonder ophouden schreeuwden de agenten in hun radio's om versterking. Hun oproepen bleven niet zonder gevolg. In het hele centrum van Londen werden straten afgezet, snel en efficiënt. Of je het wil geloven of niet, niet minder dan vijfhonderd agenten en drie regimenten ME'ers werden die avond ingezet om Robin en Mary te vangen.

Het was inmiddels elf uur en de operavoorstelling in Covent Garden was afgelopen. Dames in prachtige japonnen behangen met juwelen en heren in smoking kwamen net het theater uit, terwijl ze opgewonden kakelden en de wijsjes uit de opera nafloten. Robin en Mary zagen daar echter niets van. Trekkend en duwend baanden ze zich een weg.

'Rustig aan daar!' zei iemand.

'Wat een manieren!' jammerde een ander.

Maar er stond het uitgelezen gezelschap nog heel wat meer te wachten. Robin en Mary waren nauwelijks in een zijstraat verdwenen, toen iemand uitriep: 'Kijk nou toch eens! Het lijkt wel of al die agenten op ons afstormen.'

'Wel heb ik ooit,' zei weer iemand anders.

'Aaargh!' schreeuwde een oudere dame toen de voorste politieman haar per ongeluk ondersteboven liep.

'Sorry, moedertje,' hijgde hij.

'Ik ben je moedertje niet,' snibde de dame. 'Ik ben de hertogin van Devonshire en ik zou het bijzonder op prijs stellen als u van mijn kleding af zou blijven.'

Op uiterst onbehoorlijke en ruwe wijze vocht de politie

zich een weg door de verbijsterde dames en heren. Diamanten en robijnen vlogen in de lucht. In zijn haast om al die gevallen edelstenen op te rapen, maakte de straatmuzikant genoeg lawaai om alle doden op de Londense kerkhoven weer tot leven te wekken. De verwarring was zo groot, dat een telefooncel totaal verwoest werd, een straatveger in de goot belandde en twee agenten elkaar arresteerden.

Maar de achtervolgers werden net lang genoeg opgehouden om Robin en Mary de kans te bieden te ontsnappen. Die hadden meer dan een kilometer gerend en waren compleet uitgeput. Bij Waterloo Bridge, de brug over de Thames waarlangs ze het centrum van Londen konden verlaten, bleven ze snakkend naar adem staan. Achter hen was de straat geheel verlaten. In de verte hoorden ze de kreten van hun achtervolgers de verkeerde kant op gaan.

'Waarheen nu?' piepte Mary.

'De brug over,' hijgde Robin. 'Aan de andere kant van de rivier zijn we misschien veiliger.'

Dat was niet verstandig! Waterloo Bridge was een brede, moderne brug waar ze op geen enkele manier overheen konden zonder gezien te worden. En wat Robin en Mary niet wisten, was dat de ME inmiddels aan de andere kant van de brug was gearriveerd. Drie jeeps, vijftien soldaten, allen uitgerust met automatische wapens, en zelfs een tank, het kanon gericht op de andere oever, sloten de brug hermetisch af.

Maar dat zagen Robin en Mary pas toen ze al halverwege de brug waren, hoog boven het water van de Thames.

'Het is afgelopen met ons,' riep Mary.

'We moeten terug,' zei Robin.

'Dat kan niet. Kijk maar!'

Robin keek achterom en wat hij zag, sneed hem de adem af. Twee Egyptische mummies, de ene klein en dik, de andere lang en mager, kwamen langzaam op hen af in elektrisch aangedreven rolstoelen. De dikke dreigde met een handmitrailleur, de magere zwaaide met een handvol granaten.

De twee mummies waren, zoals je natuurlijk al hebt geraden, Spin en Muss Quito. In het ziekenhuis waar ze na de ontploffing heen gebracht werden, waren ze van top tot teen in verband gewikkeld. Nou lag dat ziekenhuis toevallig in de buurt van Covent Garden. Toen ze op de radio hoorden dat de twee kinderen in de omgeving waren gesignaleerd, kropen ze onmiddellijk uit bed. Lopen konden ze nog niet en daarom namen ze twee rolstoelen met motor in beslag en reden de straten van Londen op. Ze hadden het geluk Robin meteen te zien toen hij zich door het operapubliek wrong en zij waren het die de agenten de verkeerde kant op stuurden.

En nu zaten Robin en Mary midden op Waterloo Bridge als ratten in de val, met aan de ene kant de elitetroepen van de ME en aan de andere kant de twee meest beruchte huurmoordenaars ter wereld.

'Het is afgelopen met ons,' kreunde Robin nu ook.

'Je was altijd een fijne broer,' zei Mary.

'Sorry dat het zo moet eindigen,' mompelde Robin.

Ze sloten allebei hun ogen en wachtten angstig hun einde af.

Maar toen gebeurde er iets heel anders.

Luid toeterend kwam plotseling een motor met zijspan de brug op gereden, dwars door de versperring van de ME'ers heen. Die doken alle kanten op om niet overreden te worden.

De bestuurder was helemaal in leer gekleed, met twee rijen zilveren knopen aan de achterkant en een stel zilveren kettingen aan de voorkant van het pak. Een gezicht was niet te zien. Dat ging helemaal schuil in een zwarte helm met een zwart vizier.

Voor iemand besefte wat er gebeurde, stopte de motorfiets naast Robin en Mary.

'Stap in. Snel!' gebood een stem.

Zonder zelfs maar een seconde na te denken, duwde Robin zijn zusje in het zijspan en wurmde zich er toen zelf in. Meteen gaf de geheimzinnige bestuurder weer vol gas en met z'n drieën schoten ze weg, recht op Spin en Muss af, die in hun rolstoelen al heel dichtbij waren.

'Uit de weg!' schreeuwde Spin.

'Kijk uit, oen,' snauwde Muss toen hun rolstoelen tegen elkaar botsten. De vonken vlogen hen om de oren. Vergeefs probeerden ze de voertuigen weer onder controle te krijgen. Die tolden steeds sneller om hun as en verdwenen ten slotte over de leuning van de brug. Een ogenblik zweefden Spin en Muss Quito in een sierlijke pirouette tussen hemel en aarde, daarna plonsden ze onder ijselijk gegil in het smerige water van de Thames en verdwenen in een draaikolk van luchtbellen.

Maar nog vóór ze het water geraakt hadden, was de motor al in de verte verdwenen. Robin en Mary klampten zich in doodsangst vast aan het zijspan. Met een vaart van meer dan honderdtwintig kilometer per uur joeg de geheimzinnige bestuurder de motor door de straten, terwijl hij stoplichten en al het andere verkeer negeerde. Ze reden dwars door rotondes in plaats van eromheen, scheurden onder bruggen door, gierden door bochten en namen meer dan eens de stoep, vaak balancerend op één wiel. Robin en Mary waren zo bang, dat ze vergaten dat ze eigenlijk op het nippertje gered waren uit de handen van de ME en van de rolstoelmoordenaars.

Na zo'n twintig minuten stopte de motor plotseling. Nog bibberend kropen Robin en Mary uit het zijspan, opgelucht dat ze weer vaste grond onder hun voeten voelden.

'Dank u wel,' zei Robin, waarna hij perplex stond toen de bestuurder de zware helm afzette.

Het was een vrouw. Een van de oudste vrouwen die Robin ooit in zijn leven had gezien.

7 GEEN GOEDE RUIL

Ben jij ooit wakker geworden in een vreemd bed, in een vreemd huis, zonder te weten hoe je daar terechtgekomen bent? Dat overkwam Mary toen ze de volgende morgen haar ogen opende. Ze lag op een kleine maar comfortabele slaapbank, zo'n anderhalve meter boven de vloer. Onder haar lag Robin te snurken.

Ze keek eens goed de kamer rond. Die zag er eigenlijk heel vreemd uit. De wanden waren niet recht, zoals je in een slaapkamer zou verwachten, maar bogen min of meer naar elkaar toe. Tussen de slaapbank en de tafel aan de andere wand was nauwelijks ruimte voor de twee stoelen waarover hun kleren hingen. Naast haar hoofd was een kleine patrijspoort, halfverscholen achter een paar gordijntjes.

Een boot! Dit moest een boot zijn. Nu ze erover nadacht, wist ze weer dat die oude mevrouw haar motor naast een boot had geparkeerd. Vreemd! De Thames hadden ze ver achter zich gelaten, maar ze waren zeker niet tot bij de zee gereden. De boot schommelde ook niet, anders had ze het wel gevoeld. Onder zich hoorde ze dat Robin zich oprichtte.

'Mary?' vroeg hij na een tijdje.

'Ja?'

'Waar ben jij?'

'Hier,' zei Mary, en ze ging zo ver over de rand van de slaapbank hangen dat ze haar broer kon zien.

'Dit lijkt wel een boot,' gaapte Robin.

'Het is ook een boot,' zei Mary. 'Maar een boot die niet in het water ligt.'

'Ik hou van boten, maar ik heb een hekel aan water.'

Bij de deur van de slaapkamer stond de oude vrouw die hen gered had.

'Welkom aan boord van de *Droogzeiler*,' zei ze. 'Ik heb altijd een eigen boot willen hebben. Ik hou van boten. Mijn hele leven al. Maar ik haat water. Dat enge natte spul.'

'Liggen we dan in een weiland?' vroeg Mary, terwijl ze door de patrijspoort naar buiten probeerde te kijken.

'Welnee!' riep de oude dame. 'Dankzij Bowers Bouwbedrijf en consorten zijn er nauwelijks nog weilanden in Londen. We zijn hier in de buurt van Paddington Station.'

'Ligt de boot dan op straat?' vroeg Robin zo beleefd als hij kon.

'Wat een vragen, en nog wel vóór het ontbijt!' zei de oude dame.

'Schiet nu maar eens op. Het is al halftien geweest en je moet niet te lang in bed liggen. Dat is niet gezond. Jullie kleren zijn weer schoon en droog. Over een paar minuten verwacht ik jullie in de kombuis voor het ontbijt.'

Even later snoven Robin en Mary de heerlijke geur op van gebakken eieren met spek. Zo snel ze konden, schoten ze in hun kleren en renden de slaapkamer uit. Ze gingen een smalle trap op en kwamen in een ruime kamer waar een open haard een gezellige warmte verspreidde. Overal stonden planten en voor de ramen hingen kleurige kanten gordijntjes. Bij de haard prijkten zo'n lekker ouderwetse schommelstoel en een paar heerlijke diepe fauteuils. Alles was tot in de puntjes verzorgd.

Naast de woonkamer was een kleine eetkamer. Daar stonden drie stoelen rond een houten tafel die afgeladen was met allerlei lekkere dingen.

Verschillende soorten brood en broodjes en grote kannen met melk en vers geperst sinaasappelsap en zo veel soorten beleg als Robin en Mary nog nooit bij elkaar hadden gezien. Tussen al dat lekkers stonden ook tubetjes en flesjes met pillen en medicijnen met etiketten als *Vitamine A, B* en *C, Hoestsiroop, Zalf tegen reuma* ... De kamer leek een kruising tussen een restaurant en een apotheek.

Bij de eetkamer was de keuken of 'kombuis', zoals de oude mevrouw had gezegd. Daar stond ze bij een ouderwets fornuis in een enorme koekenpan te roeren. In die pan lagen niet alleen eieren en plakjes spek, maar ook nog champignons, worstjes en sneetjes brood.

Voor het eerst kregen ze de kans de vrouw eens goed te bekijken. Ze was heel oud, op zijn minst negentig, ook al had ze nog een blozend gezicht en was haar grijze haar opgestoken in een wirwar van kleine krulletjes. Op haar neus wiebelde een knijpbril. Ze droeg een Schotse rok die veel te ruim was en ook haar trui slobberde om haar heen.

'Zijn jullie daar eindelijk?' zei ze toen ze Robin en Mary zag. 'Ga zitten en neem een hapje vijgensiroop voor het eten. Of misschien hebben jullie wel liever sinaasappelsap? Dat stikt van de vitamine C.'

Robin en Mary schonken snel wat sinaasappelsap in.

'Het was heel aardig van u om ons te helpen ...' begon Robin. Hij stokte, hij wist niet hoe hij de vrouw moest aanspreken.

'Zeg maar Meg! Iedereen noemt me Meg, al heet ik niet zo. Dan noem ik jullie Robin en Mary. Jullie zijn toch Robin en Mary West?'

'Nou en of,' verzekerde Mary haar.

'Stel je voor dat ik de verkeerde kinderen geholpen had!' De vrouw barstte in lachen uit. 'Ach, ach, ik zou eigenlijk niet zoveel moeten lachen. Dat kan nooit goed zijn.' Ze haalde een kanten zakdoekje tevoorschijn en bette haar ogen.

Robin had Meg eigenlijk zoveel te vragen, maar ze weigerde resoluut ook maar één vraag te beantwoorden zolang ze aan tafel zaten.

'Eerst eten, straks zien we wel verder,' zei ze, terwijl ze geweldige porties uit de pan op hun borden schepte.

Toen ze klaar waren, konden ze geen pap meer zeggen. Meg ruimde de tafel af en ging haar gasten voor naar de woonkamer.

Ze nam plaats in de schommelstoel bij de open haard en gebaarde Robin en Mary ook te gaan zitten. Robin ging bijna boven op de kat zitten. Hij dacht dat die een kussen was dat met bont gevoerd was. Een schel gepiep hield hem nog net op tijd tegen.

'Dat gebeurt bijna altijd met die arme Sophocles,' lachte Meg. 'Kom maar hier, beestje.'

De kat, die bijna net zo oud leek als Meg, waggelde naar haar toe, klom op haar schoot en viel daar meteen in slaap.

Robin en Mary moesten Meg precies vertellen wat er de laatste week gebeurd was. Niets ontging haar en voortdurend onderbrak ze hun verhaal om nog meer details te vragen. Toen ze hoorde dat de bonbons uit Bowers warenhuis afkomstig waren, fronste ze haar wenkbrauwen. De inval van de politie en de berichtgeving in de krant maakten haar woedend en het verslag van de achtervolging door de straten van Londen wond haar zo op dat ze bijna uit haar schommelstoel viel.

Toen ze klaar waren, stond ze op, pookte wat in het vuur, stopte Sophocles een stukje kaas toe en zweeg wel een minuut lang.

'Nu zal ik jullie mijn verhaal vertellen,' verbrak ze opeens het stilzwijgen. 'Het verleden heeft uiteindelijk zijn schaduw over ons geworpen. Het is geen prettig verhaal. Zeker voor jou niet!' Bij deze laatste woorden knikte ze naar Robin.

'Waarom voor mij niet?' vroeg Robin.

'Weet jij ...' ging Meg verder, 'heb je ooit geweten wie je echte ouders zijn?'

'Ik weet dat ik geadopteerd ben, als u dat bedoelt,' zei Robin. 'Maar mijn echte ouders heb ik nooit gekend.'

'Dat maakt het allemaal een stuk makkelijker,' mompelde Meg. 'Luister goed. Vorig jaar is Sir Montague Bower verongelukt. Hij was een buitengewoon rijke en bijzonder onaardige man die lang geleden miljonair werd door een bouwonderneming te starten die hij Bowers Bouwbedrijf noemde, een onderneming die torenflats bouwt en winkels en restaurants beheert.'

'Bowers bonbons!' riep Mary uit.

'Precies! Sir Montague was getrouwd met Lady Penelope, een domme en verwaande vrouw. Ze kregen een kind, een jongen, die ze Frederick noemden. Op een andere afdeling van hetzelfde ziekenhuis werd op hetzelfde moment ook een jongen geboren. Hij werd Robin gedoopt en zijn moeder heette Ruby Sponge.'

'Ik kan het niet meer volgen,' zei Mary.

'Het wordt nog veel erger,' glimlachte Meg. 'Er waren dus twee baby's: Frederick Bower en Robin Sponge. Frederick, als kind van miljonairs, stonden rijkdom en luxe te wachten, maar voor Robin lag dat wel even anders.

Zijn moeder, Ruby, was een ziekelijke vrouw. Ze woonde in een afschuwelijke flat die toevallig door Bowers Bouwbedrijf was gebouwd en die in plaats van hoeken grote gaten had. Het dak lekte en op de tapijten groeiden paddenstoelen. Maar het ergste van alles was haar man. Ze was getrouwd met een bruut, een echt monster. Als hij niet dronken was, werkte hij als taxichauffeur, maar omdat hij bijna altijd lazarus was, verdiende hij nauwelijks iets.'

'Hoe weet u dat allemaal?' vroeg Robin.

'Omdat ik Ruby's oudtante ben,' zuchtte Meg. 'Ik had haar nog zo gewaarschuwd niet met die vent te trouwen, maar niemand luisterde naar me. Ze dachten allemaal dat ik gek was. En misschien was ik dat ook wel ... een beetje.

Je moet weten dat ik als verpleegster in dat ziekenhuis werkte. Toen een van de dokters me over Frederick K. Bower vertelde, kwam er ineens een plan bij me op. Een boosaardig plan, een waanzinnig plan. Maar ik was nog jong in die tijd ... nog geen tachtig ... ik dacht er verder niet bij na. Ik vond het gewoon niet eerlijk dat mijn achterachterneefje Robin in armoede en ellende moest opgroeien, terwijl die Frederick kon zwemmen in het geld. Met een beetje meer geluk had Robin in het wiegje van Frederick kunnen liggen en Frederick in dat van Robin. Nou kun je het lot ook zelf een handje helpen, en toen ...'

'Hebt u de baby's verwisseld,' fluisterde Mary.

'Ja, Mary. Toen niemand in de buurt was, heb ik de baby's verwisseld. En omdat alle baby's op elkaar lijken, kwam niemand erachter. Maar na een dag of twee drong pas goed tot me door wat ik eigenlijk gedaan had en meteen schreef ik Sir Montague een brief. Zonder mijn naam te noemen vertelde ik hem wat ik gedaan had. Er kwam geen antwoord. Dus schreef ik weer een brief en sloot daar de geboorteakte van mijn achterachterneef bij in. De baby Robin was geboren met een moedervlek op een van zijn schouders en die moedervlek kon hij nu bij Frederick vinden. Maar opnieuw antwoordde Sir Montague niet.

Ten slotte slaagde ik erin hem aan de telefoon te krijgen. Zonder blikken of blozen vertelde hij me dat hij zijn eigen kind niet terug wilde.'

'Waarom niet?' vroeg Mary verbaasd.

'Omdat hij tevreden was met de baby die hij had en het hem niet zoveel kon schelen van wie die was. Dat zei hij tenminste. Maar ik denk dat er iets anders was, dat hij bang was om uitgelachen te worden. Als zo'n verhaal bekend werd, zou het natuurlijk in alle kranten komen ...'

'Had u de baby's niet opnieuw kunnen verwisselen zonder dat iemand het merkte?' vroeg Robin.

Meg schudde het hoofd. 'Nee. Er was inmiddels namelijk nog iets gebeurd. Ruby Sponge had besloten bij haar man weg te gaan en naar Australië te emigreren. Ze ging ervandoor en liet haar kind achter in het ziekenhuis, waar men onmiddellijk stappen ondernam om het te laten adopteren. Op geen enkele manier kon ik nog in de buurt van het kind komen.'

'En wie adopteerde het kind?' vroeg Robin, maar eigenlijk wist hij het antwoord al.

'Jij was die baby, Robin,' zuchtte Meg. 'Jij bent de echte Frederick K. Bower. En het was mevrouw West die je adopteerde.'

'Wat?' riep Mary uit.

'Maar dan ben ik ...' stamelde Robin.

'Ja,' zei Meg, 'jij bent de eigenlijke erfgenaam van al die miljoenen die Sir Montague nagelaten heeft. Begrijp je het nog niet? Op de een of andere manier is die zogenaamde Frederick het verhaal over de verwisselde baby's te weten gekomen en daarom wil hij je zo graag uit de weg ruimen voor jij ook de waarheid ontdekt.'

'Maar hoe kan hij het te weten gekomen zijn?' vroeg Robin.

'Misschien heeft hij de brieven en de geboorteakte gevonden,' zei Meg. 'Of de brief die ik later geschreven heb ...'

'Wat voor een brief was dat?' vroeg Mary.

Meg zuchtte diep. 'Nadat ik zo stom was geweest, heb ik steeds maar weer geprobeerd mijn fout zoveel mogelijk goed te maken,' zei ze. 'Ik ben voor Sir Montague gaan werken. Ik noemde me juffrouw Snuff en was een van de drie kinderjuffen die voor de baby zorgden. Ik moest op zijn gezondheid letten. Het was de enige mogelijkheid om in de buurt te zijn van mijn achterachterneefje en mee te helpen aan zijn opvoeding. Maar natuurlijk werd het niks. Hij groeide op tot een klein monster.

In die tijd schreef ik Sir Montague weer een brief. Ik reed vaak door Pinner om te kijken hoe het met jou ging en wist hoe moeilijk jullie het hadden. Daarom vroeg ik Sir Montague of hij bereid was je wat geld te sturen, dan zou ik hem je adres geven. Het was toch ook *jouw* geld! Ik heb met die brief zelfs een foto van je meegestuurd. Als hij die zou zien, zou hij wel over de brug komen. Dat dacht ik tenminste, maar natuurlijk liet hij weer niets van zich horen.'

Mary en Robin waren sprakeloos. Het hele verhaal klonk zo ongelofelijk dat het leek alsof Meg het allemaal verzon. Maar het klopte wel.

De bonbons kwamen van Fortnum & Bower. En het was Frederick Bower geweest die in de *Evening Standard* een beloning had uitgeloofd voor de arrestatie van Robin.

Het verklaarde ook waarom die twee moordenaars plotseling op het toneel verschenen waren.

Mary keek haar broer aan en riep: 'Je bent miljonair! Een multimiljonair en je hebt het nooit geweten. Goh, Robin ... of moet ik je nu Frederick noemen?'

'Waag het niet!' zei Robin. 'Ik heet Robin West. Ik vind Frederick Kenneth een stomme naam, ook al zou ik zelf zo genoemd zijn.'

'Wat ga je met al je geld doen?' vroeg Mary.

Dat wist Robin niet zo gauw, al schoten hem wel een paar dingen te binnen. Een nieuw tapijt in de hal en nieuwe fietsen voor Mary en hem. En met Kerstmis konden ze eindelijk eens een leuk cadeau voor hun moeder kopen. Maar als je vele miljoenen bezit, zijn dat soort bedragen kruimeltjes. Trouwens, er moest nog wel een en ander gebeuren voor al dat geld ook echt van hem zou zijn.

'Waarom hebt u het me niet eerder verteld?' vroeg hij aan Meg.

'Ik was niet van plan het je ooit te vertellen,' zei Meg, 'en ik zou het ook niet gedaan hebben als Frederick me er niet toe gedwongen had. Veel geld hebben is ook geen lachertje!'

'Het lijkt me wel geinig,' zei Mary.

'En de belastingen dan?' ging Meg verder. 'En de accountants en de bankiers die je steeds lastigvallen? En al die hielenlikkers die je alleen maar geld willen aftroggelen? Geld brengt het slechtste in de mens naar boven. Kijk maar eens naar Frederick.'

'Ik heb het geld nog niet eens en maak me al zorgen,' zei Robin. 'Wat gaan we nu doen?'

Meg aaide Sophocles, die tevreden spinde. 'We kunnen niet naar de politie,' zei ze. 'Die geloven ons toch niet en bovendien worden jullie nog steeds gezocht. Het eerste wat we moeten doen is bewijsmateriaal vinden.'

'De geboorteakte!' riep Mary,

'Precies,' zei Meg. 'Frederick moet die gevonden hebben en heeft die natuurlijk ergens verstopt. Rijke mensen gooien niet gauw belangrijke papieren weg. Die houden ze liever bij zich voor het geval ze die ooit nog nodig hebben.'

'Maar hoe komen we erachter waar hij ze verstopt heeft?'

Met Sophocles in haar armen liep Meg naar de tafel. Uit een stapel kranten viste ze een exemplaar van de *Evening Standard*. Het was de editie van de vorige avond, met Robins foto op de voorpagina. Ze zocht de pagina met de personeelsadvertenties en legde die voor hen neer. Een van de advertenties had ze in rood omcirkeld.

LIFTBOY (M/V) GEVRAAGD

Bowers Bouwbedrijf is op zoek naar een jongen of meisje ter vervanging van de vorige liftboy, die ontslagen is omdat hij een parachute aan de liftkooi vastgemaakt had. Deze baan biedt de kans om de wereld vanuit de hoogte te bekijken.

Wij betalen vijfentwintig pond per week. Daarnaast zijn er nog een aantal bijkomende voordelen, zoals gratis lolly's en een levensgrote foto van onze directeur, de heer F.K. Bo-

wer. Sollicitaties richten aan de heer Slime, Nieuw Bowerhuis, Bower Straat. Londen W1.

'Jij moet solliciteren naar die baan,' zei Meg toen Robin de advertentie gelezen had.

'Waarom?' vroeg Robin. 'Ik wil helemaal niet in Nieuw Bowerhuis werken.'

'Begrijp het dan toch,' legde Meg uit. 'Als je erin slaagt het bolwerk van het Bowerbedrijf binnen te dringen, kun je op onderzoek uitgaan of misschien vang je gewoon per toeval belangrijke dingen op.'

'Maar dan herkennen ze hem toch meteen,' aarzelde Mary.

'Laat dat maar aan mij over,' stelde Meg haar gerust. 'We verven zijn haar of zetten hem een pruik op en planten een bril op zijn neus. En op die neus teken ik ook een wrat die zo groot is dat niemand nog naar iets anders kijkt.'

'Het klinkt best spannend,' zei Robin.

'Spannend!' Meg draaide zich om. Net op dat moment kwam er een donkere wolk voor de zon en werd het plotseling erg donker in de boot. 'Je *moet* die geboorteakte vinden, Robin,' zei ze. 'En veel tijd heb je niet. Frederick zit achter je aan, ook op *dit* moment. En als hij je te pakken krijgt ... dan is het afgelopen met je.'

8 BOEVEN TEGEN BETALING

Commissaris Cramp was behoorlijk in de war.

Met zijn mond volgepropt met kauwgom zat hij aan zijn bureau, dat onder grote stapels dossiers bedolven was, in zijn rommelige kantoor op de tweede etage van het gebouw van Scotland Yard. De muren van het kantoor waren overdekt met foto's van de meest gezochte misdadigers van Europa. Onder hen waren duistere lieden als Hans Upper, de Duitse bankrover, Marc des Cards, de beruchte Franse oplichter, Ali Bye, de Indische bankrover, en de Grote Treinrovers uit Engeland zelf. Die laatsten waren al jaren geleden gearresteerd, maar niemand had eraan gedacht dat aan Cramp te vertellen. Tussen al die ongure tronies was een foto geprikt van Robin, die breeduit lachte.

'We moeten hem vinden!' brulde Cramp, die onafgebroken met zijn vingers knakte.

Tegenover Cramp zat zijn assistent, die halfverscholen was achter een grote wolk grijze rook. De man heette Hackney, maar omdat politiemannen de vreemde gewoonte hebben de h niet uit te spreken, werd hij Acne genoemd, wat zoveel betekent als puistje. Aan puistjes had hij trouwens geen gebrek. Zijn gezicht stond er vol van, waarschijnlijk omdat hij veel te veel rookte. Hij rookte te veel omdat hij zich zorgen maakte. En hij maakte zich zorgen omdat hij te veel rookte. Als hij zich opwond, stak hij soms twee sigaretten tegelijk op. Geen wonder dat hij ook nog eens heel klein was en aan één stuk door hijgde en hoestte.

'Wie moeten we vinden?' vroeg Hackney aan zijn chef.

'Robin West natuurlijk,' zei Cramp. Hij stond op en stevende op een gedetailleerde wandkaart van Londen af. De kaart was zo volgeprikt met rode en groene vlaggetjes, dat er geen straat meer op te onderscheiden was.

'We weten dat hij in Londen is,' ging Cramp verder. Hij liep lichtjes rood aan. 'Maar hij is ons twee keer ontsnapt. Twee keer!' Zijn gezicht was nu vuurrood. 'Heel Scotland Yard twee keer voor schut gezet door een twaalfjarige ...'

Cramp was helemaal paars geworden. Hij wrong zich in allerlei bochten. Eerst dacht Hackney dat zijn chef een aanval van woede kreeg, maar in werkelijkheid had de man zijn kauwgom ingeslikt en stikte hij zowat.

'Onze mannen hebben de hele stad ondersteboven gehaald,' zei Hackney terwijl Cramp over het tapijt rolde en wanhopig naar zijn keel greep. 'Maar hij lijkt wel van de aardbodem verdwenen ... Voelt u zich wel goed, meneer?'

Cramp wankelde overeind. Na veel gerochel was het hem gelukt de kauwgom uit te spugen. Hij greep een vaas, smeet de bloemen eruit, dronk in één teug al het water op en plofte in zijn stoel. Hackney, die zelf overstuur begon te raken van het gedrag van zijn meerdere, stak nog maar eens een sigaretje op en hoestte zijn longen uit.

Eindelijk kon Cramp weer praten. 'Wie reed er op de motor die de jongen te hulp kwam?' bracht hij moeizaam uit.

'Dat weten we niet,' kuchte Hackney. 'Het was een Japanse motor zonder nummerplaat.'

'Dan zou ik zeggen,' concludeerde Cramp, 'dat die motor gestolen was door een uiterst gevaarlijke Japanse piloot, door een laagvliegende Jap, om het zo maar eens te zeggen.'

'Maar bijna alle motors komen tegenwoordig uit Japan,' protesteerde Hackney.

'Heb je mijn theorie nagetrokken, Acne?'

'Nee, meneer,' zuchtte Hackney.

'Doe het dan!'

Hackney krabbelde de opdracht in zijn blocnote en stak een verse sigaret tussen de twee die al in zijn mondhoeken smeulden. De deur ging open en een jongeman kwam binnen met in zijn hand een papier met een getypte mededeling.

'Het nieuwste rapport, meneer,' zei hij. Hij salueerde en verdween weer.

'Verdorie!' brieste Cramp nadat hij het rapport gelezen had. 'Acne! Die hele zaak wordt met de minuut ingewikkelder. De twee mannen die in de Mercedes zaten ...'

'En die later in rolstoelen uit het ziekenhuis verdwenen?' vroeg Hackney.

'Die twee ja,' snauwde Cramp. 'In dit rapport staat dat die twee niemand minder zijn dan Spin en Muss Quito, de gevaarlijkste moordenaars ter wereld.'

'Spin en Muss Quito?' vroeg Hackney. 'Die zijn toch vorig jaar bij een opdracht in het Amazonegebied opgegeten door kannibalen?'

'Dat zullen ze dan wel overleefd hebben,' zei Cramp.

Hij begon door de kamer te ijsberen, krabde aan zijn hoofd en mompelde in zichzelf.

'Laat me denken,' lispelde hij. 'Spin en Muss Quito, die we dood waanden, zijn in Pinner opgeblazen door Robin West. Die heeft ook Sam Fingers vergiftigd, een tweederangs inbrekertje. Waarom doet zo'n kind dat allemaal?'

'Misschien heeft hij wel een hekel aan boeven,' meende Hackney.

'Dat hebben we toch allemaal,' zei Cramp, 'maar daarom blazen we ze nog niet op. En hoe kon hij weten dat Spin en Muss Quito boeven zijn?'

'Dat mag Joost weten,' zei Hackney.

'Welke Joost?' vroeg Cramp.

'Ik bedoelde dat ik het zelf ook niet weet, meneer.'

'Ah! De laatste keer dat ik met Spin en Muss Quito te maken had, werkten ze voor een uiterst gevaarlijke en mysterieuze misdaadorganisatie, Boeven tegen Betaling & Co. Als je maar genoeg betaalt, maken die iedereen koud voor je.'

'Dan zijn Spin en Muss Quito misschien betaald om Robin West te vermoorden en niet andersom,' kuchte Hackney.

'Denk je dat de bom voor Robin West bedoeld was, maar per ongeluk de moordenaars zelf opblies?'

'Precies!' antwoordde Hackney. Hij was nu zo opgewonden dat hij weer twee nieuwe sigaretten opstak.

'Briljant!' juichte Cramp. 'Wat ben ik toch geniaal dat ik zoiets kan bedenken.'

'Het was mijn idee,' jammerde Hackney.

'Waag jij het je overste tegen te spreken?' vroeg Cramp bars.

Hij ging weer aan zijn bureau zitten en opende het al zo dikke dossier 'Robin West'. Het nieuwe rapport legde hij bovenop. 'Er is nog maar één probleempje in mijn briljante theorie. Waarom zou een organisatie als Boeven tegen Betaling & Co zo'n doodgewone schooljongen als Robin West willen ombrengen?'

'Zegt u het maar,' mokte Hackney, die in zijn verontwaardiging zijn vingers brandde aan een van zijn vijf sigaretten.

'Er is maar één persoon ter wereld die ons dat kan vertellen,' mompelde Cramp. 'En dat is Robin West. We moeten hem vinden!'

Bond Street, een van de chicste straten van Londen, was ondertussen het decor voor een wel erg vreemd schouwspel. Langs de vele winkeltjes waar je alleen maar peperdure dingen kunt kopen (van exclusieve schilderijen tot exclusieve horloges) sleepten zich twee bizarre figuren voort, op krukken en van top tot teen gewikkeld in lange repen smerig verband. De twee personen, die hier totaal uit de toon vielen, waren – dat heb je natuurlijk al geraden – Spin en Muss Quito. Toch aarzelden ze geen moment toen ze uitgerekend een van de duurste modehuizen binnengingen. De etalage van deze zaak, die BTB Mode heette, toonde een ruim assortiment vlinderdassen en strikjes in felle kleuren, zijden pantalons en overhemden met ruches. Uit niets viel op te maken of deze kleding voor mannen of voor vrouwen bedoeld was.

Er waren maar een paar klanten in de zaak en die waren zo vervuld van hun eigen beeld in de passpiegel, dat ze de entree van Spin en Muss niet eens opmerkten. De eigenaar, een man met paars haar en een weke mond, kwam hen tegemoet. Hij leek totaal niet van zijn stuk gebracht door hun afgrijselijke uiterlijk.

'Kan ik je helpen, schat?' vroeg hij aan Muss.

'Ik ben op zoek naar een streepjesdas voor mijn oom,' antwoordde Muss. Hij sprak elk woord heel nadrukkelijk uit.

'Streepjesdassen zijn duur dit jaar,' zei de eigenaar. Hij sprak net als Muss, langzaam en nadrukkelijk.

'Dan neem ik er twee,' zei Muss.

'Deze kant op, meneer.' De man leidde hen een paskamer binnen.

Die paskamer zag er op het eerste gezicht uit zoals elke willekeurige paskamer: vier wanden waarvan één geheel in beslag genomen werd door een spiegel. Aan een andere wand was een kledinghaak bevestigd. Spin rukte drie keer aan die haak, en met een droge klik zwaaide de spiegel opzij en kwam de toegang vrij tot een trap die naar beneden leidde.

Het BTB Modehuis was in feite niets anders dan een dekmantel voor die geheimzinnige organisatie, Boeven tegen Betaling & Co. Het gesprek tussen Muss en de eigenaar (als je het nog eens naleest, zul je merken dat het echt een hoop nonsens is) was een uitwisseling van wachtwoorden geweest.

Aan de voet van de trap werden de twee moordenaars tegengehouden door een zwaarbewapende man die een stevige metalen deur bewaakte.

'Jullie papieren!' snauwde hij.

'Ik ben bang dat ik die in de Thames verloren ben,' zei Muss.

'Geef dan het wachtwoord van deze maand. Snel of ik schiet!' dreigde de wachtpost.

'*Bloed en bliksem*,' stamelde Spin.

De wachtpost bracht zijn vinger aan de trekker en legde aan.

'Jij, boerenpummel,' gromde Muss en hij gaf Spin een harde trap tegen zijn schenen. 'Dat was het wachtwoord van vorige maand. Het wachtwoord van deze maand is *Gebroken benen*.'

'Daarom hoef je het nog niet in de praktijk te brengen,' jammerde Spin, met twee handen zijn zere been masserend.

De wachtpost liet zijn pistool zakken. 'Kom binnen,' zei hij.

Achter de deur was een enorme zaal die zo uit de rotsen gehakt leek. Neonlampen aan de wanden zetten de kille ruimte in een hel licht. Een van de wanden werd verder bijna geheel in beslag genomen door een wereldkaart waarop flikkerende rode lampjes de plaatsen aangaven waar Boeven tegen Betaling & Co momenteel actief was.

De wand daartegenover ging helemaal schuil achter een gigantisch televisiescherm.

Spin en Muss Quito schuifelden behoedzaam naar het midden van de zaal. Daar zat een vrouw van middelbare leeftijd een kop thee te drinken. Een keurige, wat stijve dame in een elegant mantelpak en met een bril aan een kettinkje om haar nek. Ze leek nog het meest op een ouderwetse directrice van een school.

Zij was juffrouw Crippen, het hoofd van Boeven tegen Betaling & Co en zonder twijfel de meest gevreesde vrouw ter wereld. Haar slachtoffers waren vaak zo bang voor haar, dat ze maar liever meteen zelf uit het raam sprongen, en zelfs haar beste vrienden verwensten de dag dat ze haar ontmoet hadden.

Toen ze Spin en Muss zag, zette ze haar kopje neer en keek hen nors aan. 'Jullie hebben gefaald,' zei ze met haar uitzonderlijk hoge, schelle stem.

Muss slikte. Spins maag rommelde.

'Jullie hebben twee keer gefaald,' snerpte juffrouw Crippen, 'en dat nog wel bij zo'n eenvoudig klusje. Mijn dochtertje van zeven zou het in een handomdraai geklaard hebben. Als ze niet zo druk bezig was geweest met het opruimen van een paar ambassadeurs, zou ik het haar ook gevraagd hebben.'

Het televisiescherm lichtte eensklaps op. Even later verscheen een foto van Robin.

'Robin West. Twaalf jaar. Niet eens zo pienter ... als we tenminste zijn laatste schoolrapport mogen geloven.'

De foto van Robin vervaagde en de explosie van de Mercedes kwam in beeld.

'Jullie! Mijn beste of in ieder geval mijn duurste medewerkers. Jullie spelen het klaar om de hele zaak te verknallen!'

Over het scherm rolden nu de beelden van de catastrofe op Waterloo Bridge.

'Bij jullie tweede poging zijn jullie bijna verdronken,' ging de ijzige stem verder. 'Als het de volgende keer weer misgaat, zullen jullie nog spijt krijgen dat je niet verzopen bent!'

Het scherm werd weer zwart.

'Hebben jullie daar nog iets op te zeggen?'

'Het spijt me erg, juffrouw Crippen,' stamelde Spin.

'Spijt!' Er klonk geen enkele emotie door in juffrouw Crippens stem. 'Sir Montague Bower was een van mijn belangrijkste klanten. Ik wil zijn zoon niet teleurstellen. Dat knulletje West maakt mijn hele organisatie tot een lachertje.'

Eén ogenblik hing er een beklemmende stilte.

'We krijgen hem wel te pakken,' zei Muss.

'Dat hoop ik voor je, Quito,' snerpte juffrouw Crippen. 'Voor je eigen bestwil. Weet je al waar dat knulletje gebleven is?'

'Nee,' fluisterde Muss.

'Het heeft ons veel moeite gekost weer op de wal te komen,' murmelde Spin. 'We hebben nog niet de tijd ...'

'Geen excuses!' De vlijmscherpe stem sneed door de

kamer. 'Ik wil resultaat. En snel. Je krijgt nog één kans, Spin. Als je die ook verknoeit, mag je van dichtbij kennismaken met mijn schatjes ...'

Het klamme zweet brak Spin uit. De 'schatjes' van juffrouw Crippen waren dodelijke schorpioenen. Ergens in het gebouw had ze er een hele kamer vol van.

'Maar ik wil jullie wel een beetje op weg helpen,' ging ze verder terwijl ze haar kopje thee weer oppakte. 'Mijn spionnen zijn overal en wellicht hebben we een spoor. Een oude vrouw in Paddington heeft een motor van het type dat jullie de Thames in joeg. Haar adres weten we nog niet, maar dat zal niet lang meer duren. Dan horen jullie het onmiddellijk. Ga ondertussen zelf op zoek. Maar wees voorzichtig. Jullie mogen niet gezien worden.'

'We krijgen dat kleine kreng wel te pakken,' zei Muss nog eens.

'Nou en of!' viel Spin hem bij.

'Dat beloof ik,' zei Muss plechtig.

'Dat zweer ik!' schalde Spin.

'Schiet nu maar eens op,' zei juffrouw Crippen. 'Jullie hebben achtenveertig uur. En geen vergissingen meer, want anders ... Robin West moet dood!'

Op hetzelfde moment stapte de zo gehate Robin West Nieuw Bowerhuis binnen. Maar ook als Spin en Muss hem hadden kunnen zien, zouden ze hem niet herkend hebben. Zijn blonde lokken gingen schuil onder een zwarte, wat vettige pruik. Hoge hakken deden hem er stukken langer uitzien en een kussen, verstopt onder zijn hemd, heel wat dikker. Op zijn neus prijkten een grote wrat en een bril met dikke glazen. Een verkreukeld streepjespak maakte zijn vermomming compleet.

Bij de receptie werd Robin doorverwezen naar een kantoor op de zeventiende etage. Daar ontvingen Slime en Ball de sollicitanten voor de functie van liftboy. Omdat hij nog iets te vroeg was, ging Robin op een stoel buiten het kantoor zitten wachten tot hij binnengeroepen zou worden.

Hij zat nog maar net, toen een jongen van zijn eigen leeftijd, ook in streepjespak, het kantoor uit kwam. Die gebaarde naar Robin dat hij zo aan de beurt zou zijn.

'Kom je ook voor die liftbaan, joh?' vroeg hij lachend.

'Ja,' zei Robin. 'Jij ook?'

'Ja,' zei de jongen. 'Maar ik mag hangen als ik ook maar een schijn van een kans maak. Die twee ...' – hij wees naar het kantoor – '... zijn volslagen maf als je het mij vraagt.'

'Hoezo?' vroeg Robin.

'Allemachtig,' bromde de jongen. 'Je moet de baas hier zowat aanbidden. Ze bleven maar doorzaniken over hem alsof hij een soort heilige is. Ik kwam alleen maar om een paar liftknopjes in te drukken. Maar die twee ... Allemachtig!'

Toen werd het gesprek plotseling onderbroken door een stem die 'De volgende!' schreeuwde. De jongen knipoogde naar Robin, wees met zijn vinger naar zijn voorhoofd en maakte zich na een laatste 'Allemachtig!' uit de voeten.

In het kantoor zaten Slime en Ball aan een brede tafel,

waarop allerlei papieren en formulieren netjes gerangschikt lagen. Ze gebaarden de nieuwe sollicitant tegenover hen plaats te nemen en staken meteen van wal met hun vragen, zonder zelfs de moeite te nemen zich voor te stellen.

Eerst las Slime een aantal vragen voor. Ball noteerde de antwoorden die Robin gaf. Ze gedroegen zich alsof ze Robin een geweldige dienst bewezen door hem te willen ontvangen.

'Naam?' geeuwde Slime.

'Jerry Green,' antwoordde Robin.

'Jerry Green,' schreef Ball.

'Adres?'

'*Droogzeiler*, Paddington.'

'Nationaliteit?'

'Engels.'

'Leeftijd?'

'Dertien.'

'Gehuwd of ongehuwd?'

'Ongehuwd.'

'Opleiding genoten?'

'Een beetje.'

Geen, schreef Ball.

'Naaste familielid?'

'Mijn moeder, mevrouw West ... ik bedoel ... Green.'

Ball aarzelde even voor hij het laatste antwoord neerpende. Toen richtte Slime zich op om er wat imposanter uit te zien en vroeg: 'Vertel me eens, meneer Green, waarom u zo graag liftboy wilt worden.'

Robin had de avond tevoren voortdurend zijn antwoorden zitten repeteren en wist min of meer wat hij zou zeggen. Gesterkt door zijn ontmoeting met de vorige sollicitant antwoordde hij zonder enige aarzeling: 'Ik wil zo graag bij de Bowerorganisatie horen, omdat ik denk dat het de geweldigste firma in de hele wereld is.'

'Maar waarom dan als liftboy?' herhaalde Slime met een zelfvoldane glimlach om de mond.

'Mijn moeder bediende een lift,' loog Robin. 'En mijn grootmoeder ook. Mijn familie heeft altijd al liften bediend. Zelf hou ik ook van liften.'

Slime wees naar een foto op de muur achter hem. Het was een levensgroot portret van Frederick Bower, die een stuk appeltaart naar binnen werkte. 'Dat is onze directeur!' riep hij uit. 'Hij eist de hoogste maatstaven voor de hele firma, van hoog tot laag. Denk je dat je aan zijn eisen kunt voldoen?'

'Meneer,' bezwoer Robin, die probeerde het er ook niet al te dik op te leggen, 'voor zo'n buitengewoon mens te mogen werken, in zo'n bolwerk van bouwkunde, is een geweldige eer voor zo'n eenvoudige jongen als ik. Ik zal mijn uiterste best doen. Altijd de goede knoppen indrukken. Altijd mijn uniform perfect in de plooi houden. Ik zou er mijn leven voor over hebben als de heer Bower tevreden zou zijn over mijn werk.'

'Wat een enthousiasme!' juichte Slime.

'Prima! Prima! Prima!' lachte Ball.

'Nog nooit heb ik een liftboy ontmoet die zo haarscherp

de verhouding tot onze doorluchtige directeur aanvoelde,' zei Slime. Hij rechtte zijn rug en sprak Robin plechtig toe: 'Je hebt de baan. Of je genoeg kennis en ervaring hebt, weet ik niet zeker. Je ziet er ook nogal sjofel uit en die wrat op je neus is niet om aan te zien, maar als je van onze directeur houdt die, dat moet ik zeggen, een zeer beminnelijk ...'

'Nou en of,' zei Robin uit de grond van zijn hart.

'... dan krijg je de job! Je kunt morgen beginnen. Het salaris bedraagt vijftien pond per week.'

'In de advertentie stond vijfentwintig pond,' protesteerde Robin.

Slime keek plotseling erg geïrriteerd. 'Dat was een drukfoutje,' legde hij ongeduldig uit. 'Vijftien pond is meer dan genoeg voor het voorrecht bij meneer Bower te mogen werken.'

'Zeker wel!' haastte Robin zich. 'Ik wilde net zeggen dat vijfentwintig pond veel te veel betaald is. Zeker als u ook nog een gratis portret geeft van ... meneer Bower.'

'Je hebt gelijk,' zei Slime.

'Wat een intelligente knaap,' prees Ball.

'Dan maken we er toch tien pond per week van,' besloot Slime.

'O, dank u!' zei Robin.

En zo werd Robin, voor tien pond per week, liftboy bij een firma die eigenlijk zijn eigendom was. Als Slime en Ball dat geweten hadden ...

9 OMHOOG ... EN OMLAAG

Robin had de pest aan zijn werk bij Bowers Bouwbedrijf. De portier noemde hem 'zonnestraaltje'. De receptioniste deed ontzettend uit de hoogte. Zijn uniform zat hem veel te krap en hoe vaak hij ook zijn knopen oppoetste, glimmen deden ze niet.

Elke keer als Slime en Ball met de lift gingen, vonden ze wel iets om over te kankeren: as op het tapijt, modder op zijn schoenen of de tijd die hij nodig had om de goede knoppen te vinden. Bovendien kreeg hij maagpijn van het constant op en neer gaan. En hoofdpijn had hij ook. Dat kwam van het lawaai van de bouwwerkzaamheden aan een nieuwe flat naast Nieuw Bowerhuis. De lift was klein, zonder zitje, en het werk was ongelofelijk saai.

Robin speelde al met de gedachte het bijltje erbij neer te gooien. En dat terwijl hij er pas twee dagen werkte. Maar hij besefte best dat hij het niet zo gauw op mocht geven. Daar had Meg hem de vorige avond wel van overtuigd.

'Al vind je het nog zo verschrikkelijk, je weet nooit of je niet morgen al iets belangrijks hoort,' had ze gezegd terwijl ze hem volpropte met vitaminen. 'En je hebt tenminste een voet tussen de deur bij de vijand.'

'En als je alleen in de lift staat met Frederick, kun je hem een flinke stomp op zijn neus geven,' had Mary daaraan toegevoegd.

Dit was een heerlijk idee, maar van Frederick had Robin nog geen glimp opgevangen. Van een van de secretaresses had hij gehoord dat Frederick zelden het gebouw bezocht. Robin was er ook achter gekomen dat zijn kantoor op de vijfendertigste etage was en dat het beveiligd werd door een uiterst modern alarmsysteem dat direct in verbinding stond met Scotland Yard. Bovendien patrouilleerden zwaarbewapende veiligheidsagenten met waakhonden de hele nacht in de gangen rond het kantoor. Het was zo goed als uitgesloten om 's nachts Fredericks kantoor binnen te dringen.

Daardoor raakte Robin nog meer ontmoedigd. Bovendien werd zijn hoofdpijn steeds erger. Het lawaai van de bouwwerkzaamheden aan de andere kant van de muur overstemde alles. Het heien en boren en de aanhoudende kreten van de arbeiders leken dwars door zijn hoofd te gaan. Voorlopig had hij nog geen reden tot plezier. De nieuwe kantoorflat, een bijgebouw van Nieuw Bowerhuis, moest immers 43 etages hoog worden.

Het was ook goed druk geweest in de lift. Hij had een werknemer, die door Slime ontslagen was omdat hij Fredericks naam genoemd had zonder zelfs maar zijn hoofd te buigen, van de zeventiende etage naar de begane grond gebracht. De koffiejuffrouw had hij naar de tweeëndertigste etage gebracht in plaats van naar de tweeëntwintigste. Vóór ze weer terug waren, was de koffie koud geworden. Daarom moest hij helemaal met haar naar de kelder, waar ze verse koffie ging zetten. En al die tijd had een van de managers vergeefs op de lift staan wachten. Op en neer, op en neer. Het is al saai om zoiets te lezen! Kun je nagaan wat Robin door moest maken!

Even na de lunch, toen hij weer in de verleiding kwam ervandoor te gaan, was de lift op de begane grond nodig. Toen de deuren opengingen, viel Robins mond bijna open van verbazing. Een paar passen van hem vandaan stond niemand minder dan Frederick Kenneth Bower. Eindelijk stond hij oog in oog met zijn vijand. Een paar seconden lang staarden ze elkaar aan, al herkende Frederick Robin natuurlijk niet.

'Wat sta je daar te kijken?' snauwde Frederick.

'Neem me niet kwalijk,' zei Robin.

'Neemt u het hem alstublieft niet kwalijk, Uwe Doorluchtigheid,' zei Slime, die naast Frederick stond. 'Dit is een nieuwe liftboy. Hij wist niet dat u zou komen.'

'Wat een buitengewone eer,' mompelde Robin terwijl hij onderdanig probeerde te kijken.

'Uit de weg!' zei Frederick, en hij duwde Robin ruw opzij.

Slime volgde hem op de voet, terwijl hij zenuwachtig in zijn handen wreef. Er was nog een man in hun gezelschap, de lelijkste man die Robin ooit gezien had. Meer een monster dan een mens en met nauwelijks hersenen, te oordelen naar de lege blik in zijn ogen. Dit was natuurlijk Gervaise.

Die zou ik niet graag in het donker tegenkomen, dacht Robin. Aan Frederick vroeg hij: 'Welke etage, meneer?'

'De vijfendertigste!' gebood Frederick.

'Uurk!' zei Gervaise, die zich zo had opgesteld dat hij bij het verlaten van de lift op Robins voet kon gaan staan.

De deuren gleden dicht en de lift begon te stijgen.

'Waaraan danken we de vreugde u zo spoedig terug te mogen zien?' vroeg Slime. Hij staarde naar de kleine rode cijfers boven de deur die de etages aangaven en die snel achter elkaar oplichtten.

'Ik kom de papieren bekijken,' zei Frederick.

'De papieren?' schrok Slime.

'De kostbare documenten die ik in mijn kantoor opgeborgen heb, dommerik,' beet Frederick hem toe. 'En als ze niet veilig zijn, dan ziet het er voor jou en dat andere kruipdier, die Ball, niet al te best uit.'

Slime begon hevig te transpireren. 'Natuurlijk zijn ze veilig, Uwe Genade,' stamelde hij. 'Uw kantoor wordt beveiligd door drie van de modernste alarmsystemen en door bewakers en waakhonden die voortdurend patrouilleren. Niemand kan daardoorheen komen. En als het iemand toch zou lukken, dan zou hij nog niet weten hoe hij de brandkast open moet krijgen. Het zou nooit bij hem opkomen dat de brandkast in verbinding staat met de computer en dat hij een wachtwoord van negen letters in moet toetsen om ...'

'Hou je mond, idioot,' schreeuwde Frederick terwijl hij naar Robin keek, die deed alsof hij niets gehoord had.

Met een 'ping' stopte de lift op de vijfendertigste etage. De deuren gleden weer open. Frederick stapte als eerste uit, gevolgd door Slime. Gervaise haalde uit naar Robins voet, trapte mis en ging met een ontevreden grauw achter zijn baas aan.

Robin kon wel gillen van vreugde. Frederick bewaarde de papieren dus in een brandkast in zijn kantoor. En die brandkast kon je openen door een wachtwoord van negen letters in te toetsen in de computer.

Maar welk woord? Hoeveel woorden waren er wel niet van negen letters?

Hij moest er meer van weten! Zonder nog langer te aarzelen zette hij de lift op stop en sloop het gezelschap achterna, blij dat het tapijt zo dik was dat niemand het kon horen.

Toen hij een hoek omging, zag hij nog net Gervaise een kantoor binnenstappen. Voetje voor voetje sloop Robin verder de gang in en legde ten slotte zijn oor tegen de zware houten deur. Hij hoorde geen stemmen, maar wel een aanhoudend dof gedreun.

Hij zakte door zijn knieën en probeerde door het sleutelgat te kijken. Wat was toch dat vreemde geluid? Tot zijn verbijstering zag hij dat Slime door die bruut van een Gervaise het kantoor op en neer geslagen werd. Frederick had Gervaise blijkbaar opdracht gegeven de manager eens goed onder handen te nemen. Zeker omdat hij in de lift te loslippig was geweest.

'Hou maar op,' zei Frederick. 'Ik wil nu de brandkast openen.'

'Harro, meneel Fledlick,' zei iemand die Robin niet kon zien. De stem klonk vreemd, metaalachtig.

'Wist u het wachtwoord nog?' vroeg Slime. Hij zat op het tapijt en bette zijn neus.

'Natuurlijk wist ik het nog,' snauwde Frederick. 'Het is waar ik het meest van hou. Hoe zou ik dat kunnen vergeten?'

'Wat is het dan, als ik vragen mag?' informeerde Slime.

'Het is ...'

'Wat doe jij hier?'

Voor Robin zich kon omdraaien, werd hij in zijn nek gegrepen en op de grond geworpen. Boven hem uit torende Ball, die hem woedend aankeek.

'Wat doe jij hier?' vroeg Ball opnieuw, terwijl hij Robin nog steviger vastgreep. 'Luistervink spelen, hè!'

'Nee, meneer Ball, heus niet,' kreunde Robin. 'Ik ... ik ben de lift kwijtgeraakt en ik dacht dat die misschien in deze kamer was.'

'De lift kwijtgeraakt?' sneerde Ball. 'Je mag de lift helemaal niet uit, jij!'

'Ik moest even naar het toilet, meneer,' zei Robin. 'Ik was zo opgewonden dat onze directeur, de geweldige Frederick K. Bower, bij mij in de lift heeft gestaan dat ik moest plassen.'

'Dat is meneer Bowers kantoor,' zei Ball.

'Echt waar?' Robin sloeg in opperste verbazing zijn hand voor zijn mond. 'O! Wat stom van me! Het spijt me echt heel erg, meneer Ball. Vertel alstublieft niet aan meneer Bower dat ik zo stom ben geweest.'

Ball was helemaal niet van plan Frederick met zo'n kleinigheid lastig te vallen. Toch deed hij alsof hij er diep over nadacht, alleen maar om de jongen bang te maken. 'Goed dan,' zei hij na een poosje. 'Als je de gang uitloopt, dan vind je de lift om de hoek. Maar laat dit niet weer gebeuren!'

'Nee, meneer. Dank u wel, meneer. U bent een heilige, meneer,' zei Robin, en hij draafde de gang in. Ball trok zijn das recht, legde een ernstige plooi op zijn bleke gezicht en stapte Fredericks kantoor binnen.

Robin ging met de lift naar de begane grond en zocht daar een telefoon om Meg te bellen.

'Meg!' zei hij, zodra ze opgenomen had. 'Ik heb geweldig nieuws. Frederick is op kantoor en ik denk dat ik weet waar hij de papieren verborgen heeft.'

'Robin!' onderbrak Meg hem. 'Goddank dat je belt ...'

'Wat is er aan de hand?'

'Je zusje ... Mary is ...'

'Meg, wat is er met haar?'

'Ik weet het niet. Ze is naar buiten gegaan terwijl ik de lunch aan het klaarmaken was. Ze zou zo terug zijn, dat zei ze tenminste, maar ze is al meer dan een uur weg. Ik ben stom geweest! Ik had haar nooit alleen mogen laten gaan. Robin, ik ben bang dat er iets ergs met haar gebeurd is ...'

Mary staakte haar pogingen om de touwen rond haar polsen los te krijgen. Haar hele lichaam deed pijn. Ze kon niet zien of ze misschien ergens bloedde, want alles was gehuld in een diepe duisternis. Haar hoofd bonkte en haar mond was uitgedroogd.

Ze lag achter in een bestelwagen. Uit het feit dat ze voortdurend stopten om even later weer op te trekken, leidde ze af dat ze nog in Londen waren. Ze probeerde te gillen, maar een grote strook tape die op haar mond geplakt zat, maakte dat onmogelijk.

Het stonk verschrikkelijk in de bestelwagen. Een soort stank die je niet kunt beschrijven. Een stank van verrotting, een muffe, zware stank. Mary probeerde zich op haar andere zij te rollen en schuurde met haar benen over een soort poeder dat de vloer van de bestelwagen bedekte. Ze had er geen idee van wat dat poeder kon zijn.

Ook wist ze absoluut niet wie haar hier neergegooid hadden. Daarvoor was alles te snel gegaan. Maar Mary vermoedde wel wie het waren: de zogenaamde ooms van Robin. En dat was nou niet bepaald een opwekkende gedachte.

Net voor de lunch was Mary naar buiten gegaan om een brief aan haar moeder te posten. In die brief had ze geschreven dat alles in orde was met Robin en haar. Ze wilde niet dat haar moeder zich zorgen zou maken. Maar omdat ze dacht dat de politie alle post die haar moeder ontving, zou lezen, had ze niet gezegd wáár ze waren. Meg had gemopperd dat het gevaarlijk was alleen naar buiten te gaan, maar Mary wilde de lichting van één uur halen en had beloofd meteen weer terug te komen.

Het was tien minuten wandelen naar de brievenbus, en dat was verder dan ze had gedacht. Maar ze had het rustig aan gedaan en genoot van de frisse lucht nadat ze de hele ochtend binnen had gezeten. Ze had de brief net op de bus gedaan toen ze achter zich plotseling voetstappen hoorde en tegelijk ook het gieren van banden op de weg. Vóór ze zich kon omdraaien, greep een hand haar bij de keel en sloot een andere hand zich om haar mond, zodat ze niet kon gillen. Het waren erg behaarde handen, de handen van die enge man in Pinner.

Met piepende remmen was een bestelwagen naast haar gestopt. Iemand sprong eruit en met z'n tweeën hadden ze haar ruw achter in de wagen gesmeten. Ze vocht als een bezetene, maar haar twee aanvallers waren veel sterker. Alles had niet langer geduurd dan dertig seconden. Het volgende wat ze zich herinnerde, was dat ze bijkwam in het stikdonker, met haar handen op haar rug gebonden. En nu reed de bestelwagen verder en verder naar zijn onbekende bestemming.

In de cabine van de wagen zat Spin zich suf te piekeren. 'Eh ... eh ... baas?' zei hij.

'Ja?' vroeg Muss, die aan het stuur zat.

'Waarom hebben we dat meisje gekidnapt, Muss?'

'Wat zeur je nou, hufter?'

'Ik snap het niet meer, baas,' zei Spin verongelijkt. 'Ik dacht dat we die jongen moesten hebben en niet z'n zusje.'

'Soms maak ik me echt zorgen om jou, Spin,' bromde Muss. 'Je bent toch zo'n onnozele ziel.'

'Dank je wel, baas,' zei Spin, die dacht dat het een compliment was.

'Luister,' ging Muss verder. 'Het is heel eenvoudig. Briljant, dat geef ik toe, maar ook eenvoudig. Per toeval zagen we dat meisje op straat lopen. En nu ligt ze gebonden als een kalkoen achter in de wagen.'

'Ja, Muss.'

'Zij zal het lokaas zijn waarmee we die verschrikkelijke broer van haar in de val lokken. Als hij komt om haar te bevrijden, staan wij hem op te wachten.'

'Met een hamer?' vroeg Spin.

'En een sikkel,' zei Muss.

'Met een hakmes?'

'En een vleeshaak.'

De twee mannen waren zo opgewonden dat ze spontaan in zingen uitbarstten:

'Hamers en sikkels
en bommen en bijlen,
straks is die kwal van
een Robin West wijlen.
Laat hem maar denken dat hij veilig is.
Nou, dan heeft hij het toch vreselijk mis!

We hebben zijn zusje,
't onschuldige schaapje,
en hobbelen haar
in een heerlijk fijn slaapje.
Laat haar maar bang zijn, wij vinden het fijn,
't avontuur is voor ons een en al gein.

Laat maar vluchten,
laat maar draven,
't is nu voor elkaar,
't spel is uit,
wij de buit,
we hebben het niet verbruid.'

Achter in de bestelwagen hoorde Mary hen tekeergaan. Ze huiverde. Eerst had ze niet door dat ze aan het zingen waren. Muss leek net een kat die erge pijn leed en Spin klonk als een zieke kikker. En het was maar goed dat ze de woorden niet kon verstaan.

Nadat de moordenaars uitgezongen waren, reed de bestelwagen nog een tijdje door. Ten slotte stopte hij. Mary hoorde dat een poort opengeduwd werd, een poort op roestige wielen. De bestelwagen reed nog een eindje door en de poort knarste dicht. Een ogenblik later ging de deur open en werd Mary uit de wagen gesleept.

Spin trok de tape van haar mond, maar liet haar handen gebonden. Mary zag meteen dat hij er heel anders uitzag dan in Pinner. Beide mannen zaten onder de blauwe plekken en nauwelijks genezen schrammen. Een deel van de kin van Spin leek wel weggeblazen te zijn. Muss had geen haar meer op zijn hoofd en ook van zijn wenkbrauwen was niets meer over. Ze voelde zich opeens niet erg lekker toen ze besefte dat zij daar allemaal verantwoordelijk voor was.

'Zo komen we elkaar nog eens tegen,' grijnsde Muss.

'Mag ik mezelf even voorstellen. Mijn naam is Muss Quito en dit is Spin, mijn rechterhand. Je hebt ons heel wat last en pijn bezorgd.'

'Waar ben ik?' vroeg Mary, die haar best deed niet te laten blijken hoe bang ze was.

'In een pakhuis aan de Thames,' antwoordde Muss. 'Jaren geleden had ik een groothandel in levensmiddelen die hier gevestigd was. Een mooie bijverdienste. Fungus Voedingswaren, gespecialiseerd in gedroogde levensmiddelen, diepvriesmenu's en voedsel in blik, in plastic en in poedervorm. Noem maar op, alle soorten voedsel, als het maar niet vers is. In dit pakhuis was het aardappelpureepoeder opgeslagen. Hierboven liggen nog altijd balen vol van dat spul.'

'Dat was het poeder in de bestelwagen,' zei Mary.

'Wat slim van je,' zei Muss. 'Een beetje water bij het poeder en je hebt in een oogwenk een bord vol romige aardappelpuree. Gemakkelijk. Snel. Goedkoop. Jammer genoeg wil geen kip het kopen omdat het afschuwelijk smaakt.'

Mary keek om zich heen. De benedenverdieping van het houten pakhuis was op een paar dingen na helemaal leeg. Er stonden een tafel en twee stoelen, een paar oude kratten en de bestelwagen waarin ze ontvoerd was. Het pakhuis zag er ontzettend gammel uit. Alles was vermolmd. Tussen de natte en kromgetrokken planken van de vloer groeiden overal distels. De wanden waren verzakt en vertoonden gaten die slordig met golfkarton waren gedicht. Het plafond leek door te buigen onder het gewicht van de aardappelpuree die boven lag. De balken kreunden en dreigden het elk moment te begeven.

'Wat willen jullie van mij?' vroeg Mary.

'Een goede vraag,' grijnsde Muss. 'Als je precies doet wat we je vertellen, kleintje, zal je niets overkomen.'

'Maar je zei dat ik haar mocht ...' begon Spin.

Muss kneep zijn maat in de neus. 'Kop dicht, jij!' beet hij hem toe. Hij wendde zich weer tot Mary en zei poeslief: 'Nee, hoor, we zullen je niets doen, al heb je ons opgeblazen. Dat vonden we niet erg. Hè, Spin!'

'Nééé, baas,' zei Spin, die over zijn gezwollen neus wreef.

'Nee! Maar dan ga jij iemand voor ons opbellen,' ging Muss verder.

'Opbellen,' herhaalde Spin gniffelend.

'Je gaat je broer vertellen waar je bent. In het pakhuis van Fungus Voedingswaren op de zuidelijke oever van de Thames, dicht bij het Nationale Theater.'

'Hihi,' giechelde Spin.

'Je moet hem vertellen dat alles goed gaat met je en dat hij naar je toe moet komen, vanavond om zeven uur precies, omdat je iets heel belangrijks gevonden hebt. En hij moet alléén komen.'

'Een valstrik!' riep Mary.

'Precies,' zei Muss.

'Je bent een genie, Muss,' juichte Spin.

'Ik doe het niet!' schreeuwde Mary.

De glimlach bevroor op het gezicht van Muss.

'Niemand durft Muss Quito iets te weigeren,' siste hij,

zijn stem nog scherper dan een pas geslepen scheermes.

'Ik lok Robin niet in de val,' herhaalde Mary flink, al was ze doodsbang.

'Ik denk dat we haar wel tot andere gedachten kunnen brengen,' zei Muss tegen Spin.

'We kunnen haar verzuipen!' riep Spin.

'Nee, imbeciel,' grauwde Muss. 'Hoe kan ze opbellen als we haar eerst koud maken? Die behandeling houden we in petto voor die gemene broer van haar. Maar er zijn nog wel andere dingen die we met haar kunnen doen. Aan haar haren trekken!'

'Aan haar tanden!'

'Aan haar vingers!'

'Aan haar benen!'

Muss keek Mary dreigend aan. 'Wil je misschien liever een halfuurtje alleen zijn met mijn goede vriend, deze kleine duivel hier?'

Spin begon nog akeliger te giechelen en streek met een lange, harige vinger over Mary's gezicht. 'Dat zou lollig zijn,' hinnikte hij.

'Een halfuurtje alleen met Spin zou je wel van gedachten doen veranderen.'

'En ook van gezicht,' gromde Spin.

'Maar als je doet wat we zeggen, gebeurt er niets met je. Wie weet laten we je dan wel gaan.'

'Haar laten gaan? Wie weet! Wie weet!' jubelde Spin.

Mary keek naar de twee mannen. Spin kwijlde en zijn wrede ogen gloeiden koortsig. Zijn hele gezicht was verwrongen en zijn vingers dansten in grillige patronen over zijn lichaam. Muss bleef haar maar aanstaren, zijn twee slangentanden fonkelden in de duisternis. Al leek hij bedaarder dan Spin, toch was hij op de een of andere manier nog gekker en veel gevaarlijker.

Ze kon het niet langer verdragen.

'Goed dan,' riep ze. 'Ik doe het. Ik zal doen wat jullie vragen. Ik zal Robin opbellen en hem hierheen lokken. Maar laat me dan met rust!'

10 AARDAPPELPUREE BIJ DE VLEET

'Hallo?'

'Mary, ben jij dat?'

'Robin!'

'Waar zit jij in 's hemelsnaam?'

'Ik hoop dat je je niet te veel zorgen hebt gemaakt?'

'We zijn radeloos. Wat is er aan de hand?'

'Luister, Rob. Ik kan niet lang praten. Ik ben in het pakhuis van Fungus Voedingswaren op de zuidelijke oever van de Thames, dichtbij het Nationale Theater.'

'Wat doe je daar?'

'Ik denk dat ik iets heel belangrijks gevonden heb, Rob. Kun je naar me toe komen, vanavond om zeven uur?'

'Meg zal me wel willen brengen, maar ...'

'Nee! Je moet alleen komen. Ik vertel je wel waarom als je hier bent.'

'Maar, Mary ...'

'Ik moet ophangen, Rob. Vanavond om zeven uur. Wees stipt op tijd. Het is heel belangrijk. En kom alleen.'

Muss rukte de hoorn uit Mary's hand en legde die op de haak. Spin, die via een koptelefoon had meegeluisterd, giechelde.

'Hij komt eraan! Die kleine engerd Robin West komt eraan!'

'Je hebt het goed gedaan.' Muss vouwde het scheermes

dicht, dat hij al die tijd tegen Mary's keel had gedrukt.

'Jullie mogen hem niets doen,' riep Mary.

'Ach, mogen we dat niet?' praatte Muss haar na. 'Mogen we dat heus niet?'

'Dat mogen we wel,' giechelde Spin.

'Wat gaan jullie met mij doen?' vroeg Mary.

'Je hebt je broer zo vriendelijk uitgenodigd dat je op hem mag wachten,' grinnikte Muss. Hij keek op het beschadigde horloge aan zijn gehavende pols. 'Het is nu kwart over vijf. Over minder dan twee uur is hij hier. Begeleid jij de jongedame even naar de wachtkamer, Spin?'

Vóór Mary zelfs maar kon protesteren, tilde Spin haar op en droeg haar verder het pakhuis in. De hele benedenverdieping had één grote ruimte geleken, maar nu zag ze in de verste hoek een klein kantoor. Dit was de 'wachtkamer' die Muss had bedoeld.

Het kantoor was net zo smerig en kaal als de rest van het pakhuis. Het was helemaal leeg op een grote metalen ring na, die in de vloer bevestigd was. Aan die ring bond Spin Mary vast. Hij trok de touwen rond haar polsen zo strak aan dat het pijn deed. Hij gaf nog een extra ruk aan de knopen en zei: 'Niet weglopen, hoor!' Grinnikend om zijn eigen grapje wandelde hij het kantoor uit.

Weglopen! Mary kon nauwelijks bewegen. Ze probeerde zich op haar zij te draaien, maar bij de minste beweging deden haar polsen nog meer pijn. Ze keek eens goed om zich heen. Als dit een toneelstuk of een film was, dan zou ze nu een mes vinden of anders wel een glasscherf waarmee ze de touwen door kon snijden. Maar in het kantoortje lag niets.

Er was één raam, maar daar zat het ijzerdraad zo stevig omheen, dat zelfs een muis er niet door had kunnen kruipen. In het plafond was een luik. Toen het pakhuis nog gebruikt werd, had daar waarschijnlijk een ladder gestaan waarmee je naar boven kon klimmen. Maar zelfs als er nu een ladder zou staan, had ze er niets aan gehad. Ze was vastgebonden en kon geen kant op.

Bovendien had Spin de deur van het kantoortje op slot gedaan en Muss had er ook nog een tafeltje tegenaan gezet. Zelf zaten ze in het midden van het pakhuis, vanwaar ze zowel Mary als de toegangspoort in de gaten konden houden. Ze hadden een pak kaarten tevoorschijn gehaald, maar vergaten Mary geen seconde. Regelmatig stond Spin op om naar haar te kijken.

Hoe uitzichtloos haar situatie ook leek, toch had Mary nog een sprankje hoop. Bijna elk woord van haar gesprek met Robin had Muss van tevoren voor haar opgeschreven. Ze had geen enkele mogelijkheid hem voor de valstrik te waarschuwen. Maar toch was het haar gelukt hem een wenk te geven, een hele kleine wenk weliswaar, maar meer had ze echt niet kunnen doen. Zou Robin het gemerkt hebben? Zou hij begrepen hebben wat er aan de hand was? Ze hoopte het voor hen beiden.

Robin zat met Meg in de keuken van de *Droogzeiler*. Ze waren allebei doodnerveus.

'Het is echt niks voor Mary om er zomaar vandoor te gaan,' zei hij.

'Ze zei dat ze een frisse neus wilde halen,' antwoordde Meg. 'Maar ik weet wel zeker dat ze het gezegd zou hebben als ze niet voor de lunch terug zou zijn.'

'Het is echt heel vreemd.'

'Och gut, ik ben hier nou echt te oud voor,' zuchtte Meg. 'Ik denk dat je beter niet naar dat pakhuis kunt gaan. Niet alleen in ieder geval.'

Robin sloot de ogen en dacht na.

'Er was nog iets vreemds ...' begon hij.

'Wat dan?'

'Ze bleef me maar Rob noemen. Niet Robin, maar Rob.'

'Nou en?' zei Meg.

'Dat is heel vreemd. Ze weet hoezeer ik er een hekel aan heb om Rob genoemd te worden. Daar kan ik echt niet tegen. Als ik Anthony zou heten, zou iedereen waarschijnlijk Tony zeggen en dat zou ik net zo erg vinden. Maar ze bleef maar Rob zeggen, wel twee of drie keer.'

'Misschien probeerde ze je iets te vertellen.'

'Dat is het, Meg!' riep hij. 'Als iemand haar dwong mij op te bellen, was dat misschien de enige tip die ze me kon geven ...'

'Een valstrik!' schrok Meg. 'Je hebt gelijk, Robin. Ik voel het aan mijn botten. En als je zo oud bent als ik, dan vergissen die zich nooit.'

'Wat moeten we doen?' vroeg Robin.

'Wat kunnen we doen? De politie bellen ...'

Robin schudde het hoofd. 'Nee, Meg, die zouden ons toch nooit geloven en bovendien zitten ze nog altijd achter me aan. Ik moet het zelf opknappen.'

'Maar Robin, je hebt er geen idee van wat je te wachten staat. Misschien wel die twee mannen die op Waterloo Bridge ...'

'Mary is mijn zusje. Ik moet proberen haar te redden. Luister, Meg. Het is nu halfzes. Als ik opschiet, ben ik een uur eerder dan ze me verwachten bij het pakhuis. Dan kan ik ze onverwacht te grazen nemen. Jij blijft hier met Sophocles tot precies halfzeven wachten en als je dan nog niets van me gehoord hebt, bel dan meteen de politie.'

'Laat mij met je meegaan. Als ik toen niet de baby's ...'

'Nee, Meg. Jij moet bij de telefoon blijven.'

Robin en Meg bekvechtten nog een poosje, maar ze kon hem toch niet overtuigen en legde zich ten slotte bij zijn besluit neer.

'Maar wees in 's hemelsnaam voorzichtig,' zei ze. 'Je hebt die kerels twee keer te grazen genomen, maar een derde keer ben je misschien wel niet zo gelukkig ...'

De zon stond nog hoog aan de hemel toen Robin van Waterloo Station op weg ging naar het pakhuis van Fungus Voedingswaren. Toch blies er ook een frisse wind en Robin huiverde.

Het kostte hem geen enkele moeite het pakhuis te vinden. Vanbuiten zag het er trouwens helemáál vervallen uit. In het zonlicht stak het, op een paar rode vlekken na, helemaal grijs af tegen de omgeving. Op een verweerde plaat stond in uitgelopen groene letters *Fungus Voedingswaren.* Het gebouw helde gevaarlijk voorover en leek elk moment in de Thames te kunnen verdwijnen. Robin was verbaasd nog zo'n gammel krot te vinden in Londen.

Toen hij er zeker van was dat niemand voor het gebouw de wacht hield, sloop hij naar de toegangspoort. Die stond gelukkig op een kier. Toen hij dichterbij kwam, hoorde hij twee mannenstemmen, ergens in het gebouw.

'Je hebt weer gewonnen, Muss.'

'Ik win altijd, Spin.'

'Hoeveel heb ik al verloren?'

'Negenendertig pond.'

'Jij speelt vals.'

'Jij toch ook, gek. Maar ik speel beter vals dan jij.'

Robin gluurde door een spleet in de poort. Al kon hij het grootste deel van de benedenverdieping van het pakhuis overzien, nergens ontwaarde hij een spoor van Mary. Maar wel zag hij de twee moordenaars die in Pinner bijna aan stukken gereten waren.

Het was dus wel degelijk een valstrik! Robin sloop weg van de poort. Hier kon hij het pakhuis onmogelijk binnendringen zonder gezien te worden. De twee mannen konden de hele benedenverdieping in de gaten houden. Wat moest hij doen?

Het antwoord op die vraag vond hij aan de andere kant van het gebouw. Een trap leidde naar een deur op de eerste etage. En die deur stond open! De trap was totaal vermolmd en stond op instorten, maar Robin had geen andere keus. Stap voor stap, voorzichtig balancerend op elke trede, klom hij naar boven. Het hout kraakte onheilspellend en halverwege voelde Robin dat de hele trap begon te slingeren. Maar goed dat hij niet zwaar was. Stel je eens voor dat Frederick die trap opgegaan was, dan had het ding het meteen begeven.

De eerste etage van het pakhuis zag er net zo vies uit als de benedenverdieping, maar was ook nog eens volgestouwd met honderden balen. Op elke baal stond in vlammende rode letters *Fungus Aardappelpuree*. Ze waren zo verweerd dat de inhoud op veel plaatsen naar buiten puilde. Uiterst behoedzaam sloop Robin rond, waarbij het geluid van zijn voetstappen gesmoord werd in een dikke laag poeder die de hele vloer bedekte.

In de verste hoek lagen wat touwen en daarnaast zag Robin onder het stof de omtrekken van een luik. Hij keek op zijn horloge. Het was vijf over zes. Over vijfentwintig minuten zou Meg de politie bellen.

Robin knielde bij het luik en lichtte het een paar centimeter op. Daarna trok hij het voorzichtig nog verder open. Het eerste wat hij zag, was Mary die pal onder hem met haar handen aan een metalen ring in de vloer vastgebonden lag. En Mary zag hem ook. Ze sperde haar ogen open. Snel legde Robin een vinger op zijn lippen om haar te beduiden niet te gaan schreeuwen. Ze schudde haar hoofd en knikte in de richting van Spin en Muss Quito, die nog altijd aan het kaarten waren.

Robin glimlachte nog eens naar Mary om haar gerust te stellen en sloot toen het luik weer. Hij moest nadenken. Hij begreep wel dat hij niet door het luik bij Mary kon komen zonder dat de twee mannen hem zagen. Hij moest ze afleiden, iets vinden waardoor ze beziggehouden werden terwijl hij zijn zusje redde.

Maar wat? Behalve de balen was er helemaal niets. Jammer genoeg had hij geen doosje lucifers bij zich, anders had hij tenminste iets in de fik kunnen steken. En hij mocht geen geluid maken. Ze zouden meteen weten dat er iemand was ... Nog maar twintig minuten!

Robin was bijna ten einde raad toen hij iets zag dat hem op een idee bracht. In een donkere hoek, tegen een van de wanden, was een kraantje. Als hij dat opendraaide, zou het water door de spleten sijpelen en ten slotte zou de hele vloer het begeven. De twee moordenaars zouden denken dat er een buis gesprongen was (de kraan was er roestig genoeg voor) en zouden naar boven komen om de boel te repareren. Terwijl ze daarmee bezig waren, zou hij naar beneden sluipen en Mary redden. Vóór die twee engerds begrepen wat er aan de hand was, zouden ze er al vandoor zijn.

Het leek een waterdicht plan. Met veel moeite wrikte Robin de kraan open. Even later stroomde het water over het fonteintje. Het witte poeder op de vloer slorpte het water op en smoorde alle geluiden.

Zo snel hij kon, stak Robin de kamer over, op zoek naar iets waar hij zich achter kon verstoppen als de twee mannen boven kwamen kijken wat er aan de hand was. Hij was nog maar halverwege toen het gebeurde ...

Hoe had hij ook kunnen weten dat sommige planken zo vermolmd waren, dat ze alleen bij elkaar gehouden werden door het mos dat erop groeide? Van het ene moment op het andere was een deel van de vloer onder hem verdwenen. Met veel gekraak en een ijselijke gil plofte hij precies bovenop de tafel waaraan Spin en Muss zaten te kaarten.

Moet je je voorstellen hoe die schrokken toen, te midden van een grote stofwolk, een menselijk projectiel plotseling midden op hun tafel belandde, die het terstond begaf onder het gewicht. Ze veerden overeind en staarden vol verbazing naar het plafond, waar een hoekig gat getuigde van wat er net gebeurd was. Mary slaakte een angstige gil.

Het stof trok op en daar, tussen de brokstukken van de tafel, zat Robin, vuil en met gescheurde kleren.

'Robin West!' zei Muss. 'Wat aardig van je om even binnen te vallen.'

Robins val was door de kaarttafel gebroken en hij was dan ook niet echt gewond. Wel had hij overal pijn en stikte hij zowat van het gore witte poeder in zijn mond. Maar het ergst van al was dat hij zo onderuitgegaan was (in meer dan één opzicht). Hij had gedacht slim te zijn, maar met open ogen was hij in de val gelopen, weerloos als een piepkuiken.

'Haal het meisje,' gebood Muss aan Spin. 'Wat een genoegen je hier te mogen ontvangen, West,' ging hij verder. 'En nog wel een uur te vroeg ook. Wat een enthousiasme!

Een bijzonder originele manier trouwens om mijn pakhuis binnen te komen! Is het niet doodzonde dat we nauwelijks de kans krijgen elkaar beter te leren kennen? Je bent werkelijk amusant. Heb je je pijn gedaan?'

'Nee,' zei Robin.

'Jammer! Jammer! Maar ach, ik weet zeker dat mijn toegewijde vriend Spin daar wel iets aan kan doen.'

Spin duwde Mary inmiddels het kantoor uit. Ze rende naar haar broer en knielde naast hem neer.

'Sorry, Mary,' zei Robin zwakjes.

'Het is mijn fout,' stamelde ze. 'Ik had moeten weigeren je op te bellen.'

'Het geeft niet.' Robin sprak zo luid, dat Spin en Muss hem ook konden horen. 'Ik heb de politie gebeld en ze verteld waar ik naartoe ging. Ze zouden me achterna komen. Ze kunnen elk ogenblik hier zijn.'

Muss lachte wreed. 'Elk ogenblik zelfs? Hij zegt dat de politie eraan komt.'

'Zo, zegt hij dat?' neuriede Spin.

'Aardig geprobeerd, mannetje,' zei Muss tegen Robin. 'Maar ik geloof je niet. Denk jij nou echt dat een boef die overal gezocht wordt, de politie om hulp vraagt?'

'Hij kletst maar wat!' giechelde Spin.

'En we weten wat er gebeurt met mensen die uit hun nek kletsen,' zei Muss ijzig.

Robin klopte het stof van zijn kleren en stond beverig op.

'Tegen de muur!' gebood Spin.

Mary ondersteunde Robin, die nog altijd duizelig was.

Met z'n tweeën zetten ze zich schrap tegen de muur, een paar meter bij Spin en Muss vandaan. Mary had het gevoel alsof ze voor het vuurpeloton stonden, een gevoel dat nog versterkt werd door het zware pistool dat Muss opeens in zijn knokige hand hield.

'Wat gaan we met ze doen?' vroeg Spin. De akelige grijns op zijn gezicht was breder dan ooit.

'Een kleine schietoefening misschien ...' stelde Muss voor.

'Dat gaat veel te snel,' gromde Spin.

'Wat stel jij dan voor?'

'Mieren!' brabbelde Spin. 'We binden ze vast en laten ze door de mieren levend opeten.'

'Er zijn hier helemaal geen mieren, zot,' snauwde Muss. 'Nee, gewoon schieten en afgelopen.'

'Nee, Muss!' Spin schreeuwde nu bijna. 'Ik wil meer lol na alles wat ze met ons gedaan hebben. Ik wil met ze dollen. Ik wil dat ze ons nooit meer vergeten!'

'We staan op het punt ze van kant te maken, idioot! Er valt dan niks meer te vergeten.'

De ruzie tussen Spin en Muss liep steeds hoger op. Ze schreeuwden elkaar verwensingen toe en gingen ongemerkt steeds verder bij Robin en Mary vandaan.

Mary stootte Robin aan. Hij volgde haar blik en zag dat het plafond boven de twee ruziemakers begon door te buigen. De planken bolden steeds meer op alsof er een enorm gewicht op drukte. Het hele pakhuis kraakte in zijn voegen. De twee boeven hadden alleen maar aandacht voor elkaar en zagen of hoorden niet dat een kleverig wit goedje door de planken van het plafond begon te sijpelen en op de vloer terechtkwam.

Robin begreep plotseling wat er aan de hand was. Hij had boven de kraan opengezet om de boeven af te kunnen leiden, maar in plaats van door de planken te stromen zoals hij had gedacht, was het water opgeslorpt door het aardappelpureepoeder.

Als je wel eens iemand aardappelpuree hebt zien maken, dan heb je gezien hoe het witte poeder door het water gaat opzwellen tot drie of vier keer de oorspronkelijke omvang. Op de eerste etage gebeurde precies hetzelfde. Maar in plaats van één pakje, lagen daar werkelijk duizenden kilo's van het spul. En in plaats van één kopje water stroomden daar liters en liters water uit de kraan. De hele vloer lag al bezaaid met grote kwakken aardappelpuree en lang kon het niet meer duren of het plafond zou het begeven. De planken kraakten steeds onheilspellender en ook de balken begonnen nu door te buigen.

Vanuit haar ooghoeken zag Mary dat Spin en Muss nog altijd niets in de gaten hadden.

'We knallen ze neer!' tierde Muss.

'Spelbreker!' riep Spin.

'Ik ben de baas!' schreeuwde Muss.

'Ik haat je!' blèrde Spin.

Maar het besluit van Muss stond vast. Hij moest een karweitje opknappen en dat zou hij doen ook. Hij hief zijn pistool en richtte het op Robin. Hij bracht zijn vinger aan de trekker en ...

Precies op dat moment begaf een deel van het plafond het, pal boven zijn hoofd nog wel. Vóór hij de trekker kon overhalen, kwakte een geweldige klodder aardappelpuree op hem neer. Hij was totaal verblind. Met open mond staarde Spin hem aan.

'Wat gebeurt er?' murmelde Muss.

Spin pulkte met een uitgestoken vinger wat van het spul uit de ooghoeken van zijn baas. Hij likte zijn vinger af en zei stomverbaasd: 'Aardappelpuree.'

'Aardappelpuree?' schrok Muss.

'Aardappelpuree!' schreeuwden ze toen allebei en ze keken naar het plafond.

'Duiken!' brulde Robin. Snel trok hij haar opzij.

Met een oorverdovend gekraak kwam het hele plafond naar beneden. Spin en Muss waren de eersten die eraan gingen. Robin zag nog net hoe Muss zich vastklampte aan zijn maat voor de schurken werden bedolven onder een berg aardappelpuree.

Het spul was ineens overal en drukte alles opzij. Planken en balken vlogen in het rond. Het pakhuis schudde op zijn grondvesten.

'Snel!' gilde Robin boven het helse kabaal uit. Binnen een paar seconden zou het pakhuis instorten.

Wanhopig sprintten de kinderen naar de deur. In grote golven rolde de aardappelpuree achter hen aan. Brokken golfkarton die uit de wanden naar beneden kletterden, vlogen hen om de oren. En de aardappelpuree bleef maar stromen en stromen ...

Robin voelde dat de koude troep al tot zijn kuiten reikte. Met een laatste krachtinspanning wurmde hij zich door de poort naar buiten terwijl hij Mary aan de hand meesleurde. Nog geen seconde later klapte het pakhuis in elkaar en verdween tot de laatste splinter in de immense berg aardappelpuree.

Mary en Robin draafden zonder ophouden verder. Ze renden Waterloo Bridge over, de brug waar ze een paar dagen geleden bijna het loodje hadden gelegd. Pas toen ze veilig aan de andere kant stonden, keken ze om. Wat ze zagen, was te gek voor woorden.

De berg aardappelpuree was nu al minstens een kilometer breed en even hoog als St. Paul's Cathedral en werd nog steeds groter. Het leek net een onbekend monster uit de ruimte. Hele gebouwen verdwenen erin.

Die nacht – die bekend werd als de Nacht van de Aardappelpuree – bracht een van de grootste rampen uit de geschiedenis over Engeland. Nog meer dan twee uur lang bleef de kleverige witte massa uitdijen.

Hele straten werden erdoor opgeslokt. Een vrachtboot dreef zo de blubber in en kwam er nooit meer uit. De kapitein dacht waarschijnlijk tot op het laatste moment dat hij met een mistbank te maken had. Mijlenver in de omtrek kwam al het verkeer tot stilstand. In het nabijgelegen Nationale Theater was de première van een nieuwe uitvoering van *Hamlet* aan de gang. De acteurs begonnen juist aan de scène waarin de geest verschijnt, maar nauwelijks had Hamlet de woorden 'Wat bijt die wind venijnig; 't is bitter koud' gesproken, toen onder veel gekraak een van de wanden van het decor het begaf. In minder dan een seconde waren de acteurs verzwolgen en was het hele toneel gevuld met smerige puree.

Het publiek dacht dat dit bij het stuk hoorde en bracht de acteurs een staande ovatie. De critici waren vol lof over de totaal nieuwe aanpak en zo werd de productie, alleen omwille hiervan, bijzonder populair. Maar dat is dan ook het enige leuke dat over deze pureeramp te melden valt.

Niemand kon aan de witte massa ontkomen. Op perron drie van het metrostation Charing Cross gingen een paar honderd mensen er gillend vandoor toen in plaats van een trein een grote stroom blubber uit de tunnel kwam. Het leek wel tandpasta die uit een gigantische tube geknepen werd. Een speciale commissie van de Raad voor Groot Londen, die in vergadering bijeen waren om zich te buigen over het geweld in kinderboeken, werd in een mum van tijd opgeslokt. Ook het Filharmonisch Orkest van Londen dat in de Festival Hall een concert gaf, verdween tot en met de laatste violist in de smurrie. Het laatste wat de verbijsterde toeschouwers hoorden, was een wanhopige stoot op de trompetten. Nog nooit had de onvoltooide symfonie van Schubert zo onvoltooid geklonken.

Het leger werd ingezet om de situatie het hoofd te bieden. Na veel over en weer praten tussen generaals, kapiteins, luitenants en korporaals en nog meer palavers tussen ministers, buurtwerkers, politiemannen en brandweerlieden werd ten slotte een oplossing gevonden. Het leger kreeg het bevel de aardappelpuree op te eten.

De operatie Mes en Vork duurde meer dan twintig uur en er werden 20.000 soldaten (het hele Britse leger) bij ingezet, die na afloop een verschrikkelijke buikpijn hadden.

Tegen die tijd was het avontuur van Mary en Robin ook voorbij. Laten we daarom maar eens snel gaan kijken hoe het met ze gaat.

11 AVONTUUR OP GROTE HOOGTE

Nadat ze op het nippertje uit het pakhuis ontkomen waren, dachten Robin en Mary even dat ze eindelijk rust zouden krijgen. Ze waren allebei doodop en Mary trilde over haar hele lichaam, een reactie op alles wat ze had doorgemaakt. Maar toen ze in de buurt kwamen van Megs boot, kregen ze al snel in de gaten dat hun problemen alleen maar groter geworden waren.

De hele straat was afgezet door de politie. Aan het hoofd van de operatie stond opnieuw de onvolprezen Cramp. Hij brulde aan één stuk door bevelen en rende de straat op en neer, op zoek naar aanwijzingen. (Waar hij nou precies naar zocht, wist niemand.) Van een krantenverkoper die alles gezien had, hoorde Mary dat Meg gearresteerd en meegenomen was voor ondervraging.

Toen Robin om halfzeven niets van zich had laten horen, had Meg Scotland Yard gebeld. Door een wel erg ongelukkige speling van het lot had ze na enige tijd commissaris Cramp zelf aan de lijn gekregen. Bovendien was de verbinding uitzonderlijk slecht geweest, één en al kraken en fluiten. Van alles wat Meg had gezegd, had Cramp maar een paar woorden opgevangen: 'Noodgeval ... pakhuis bij de Thames ... Hallo? ... Fungus Voedingswaren ... Robin West ... Hallo! ... U moet komen ... Hallo? ... *Ping!*'

Even later waren bij Scotland Yard de eerste meldingen

binnengekomen over een pakhuis van Fungus Voedingswaren dat ontploft zou zijn en over een enorme witte brij die alles op de zuidelijke oever van de Thames dreigde te verzwelgen. Cramp had twee en twee bij elkaar opgeteld en was zoals steeds op vijf uitgekomen. Die oude vrouw van daarnet, zo concludeerde hij, had gebeld om een verschrikkelijke misdaad te bekennen die ze met de hulp van Robin West had gepleegd. Zij had het pakhuis opgeblazen. Waarschijnlijk uit protest tegen het bejaardenbeleid van de regering, de jacht op zeehonden, de prijs van de komijnekaas of iets anders waar sommige oude dames zich graag over opwinden.

Cramp had geen seconde langer geaarzeld. Hij had zijn manschappen opgetrommeld en in een mum van tijd was de *Droogzeiler* omsingeld en was de bewoonster afgevoerd. Meg had wanhopig geprobeerd uit te leggen wat er aan de hand was, maar Cramp was er zo van overtuigd dat hij met een gekkin te maken had, dat hij niet eens de moeite had genomen naar haar te luisteren.

Vanaf een veilige afstand hielden Robin en Mary de boot in de gaten. Een van Cramps mannen kwam net aansjouwen met Megs motor. Iemand riep dat het de motor was die op Waterloo Bridge door de versperring gereden was. Alle agenten en ook de journalisten en fotografen die hen overal voor de voeten liepen, raakten ontzettend opgewonden. Iedereen (behalve Cramp natuurlijk) had nu wel door dat het Meg was geweest die de kinderen te hulp was gekomen. Even later kwam iemand met Sophocles op de proppen. Het arme beest begon heel zielig te piepen en werd prompt gearresteerd omdat het zich had voorgedaan als een muis.

Robin zag lijkbleek. Meg was de enige vriendin die ze nog hadden en nu was zij er ook niet meer. Bovendien was zij de enige die de waarheid kende. Als Muss Quito hem maar niet te pakken had gekregen! Dan had hij op tijd wat kunnen laten horen en had Meg de politie niet hoeven te bellen. Nu waren ze weer alleen in een stad vol vijanden. Hoe lang zou het nog duren voor ze ook gepakt werden?

'Wat nu?' vroeg Mary.

'Ik weet het niet, echt niet,' antwoordde Robin. 'Misschien kunnen we nu maar beter onszelf aangeven.'

'Misschien wel,' zuchtte Mary.

Ze waren allebei het rennen en draven spuugzat en verlangden naar een lekker bed en iets warms te eten, zelfs al zouden ze daarvoor de cel in moeten. Hoewel, een houten plank als bed en een melig bord pap was ook niet alles, zeker niet als ze de rest van hun dagen in die cel zouden moeten slijten.

Robin nam ineens een besluit. 'De brandkast!' riep hij.

'Welke brandkast?'

'De brandkast in Fredericks kantoor. Dat heb ik je nog niet verteld ...'

En hij vertelde haar wat hij die middag in Nieuw Bowerhuis had gehoord. 'En als Ball niet net op dat moment was gekomen, had ik zelfs het wachtwoord gehoord,' besloot hij zijn verhaal. 'We moeten daar binnen zien te komen en het verder uitzoeken. Als we die papieren hebben, kunnen we bewijzen dat we onschuldig zijn en dan moeten ze Meg ook vrijlaten. Dan ben ik miljonair en kunnen we alle schade vergoeden die we aangericht hebben.'

'Maar hoe denk jij langs al die wachten en alarmbellen te komen?' vroeg Mary.

'Dat lukt wel,' zei Robin luchtig.

'Hoe dan?' hield Mary aan.

'Dat kan ik je beter nog niet vertellen,' mompelde Robin. 'Ik denk niet dat je het leuk zult vinden. Helemaal niet zelfs.'

Twee uur later – het was net negen uur geweest – stonden ze voor Nieuw Bowerhuis. Af en toe passeerde een auto het gebouw en verdween in de schemering. Een rat klom uit de goot en glipte in een vuilnisemmer. Over de lege stoep dwarrelde een verfrommeld exemplaar van *De kerkbode* dat voortgeblazen werd door een lichte bries.

In het gebouw leek alles rustig. Na een tijdje kwamen twee mannen naar buiten. Tussen hen in, aan een lange lijn, liep een Duitse herder zonder staart. Een van de mannen rookte een sigaret, de ander droeg een zaklantaarn waarmee hij af en toe de omgeving verlichtte. Aan hun leren gordels hingen zware houten knuppels. De twee mannen waren agenten van de bewakingsdienst en de Duitse herder was een waakhond. Ze begonnen aan hun eerste patrouille rond het gebouw.

Een van de bewakers was beroepsworstelaar geweest. Aan zijn sportieve carrière was een einde gekomen toen hij een tegenstander zo in de knoop had gelegd dat het drie artsen een maand had gekost om de man weer los te maken. De andere bewaker was een hoge officier in het leger geweest. Niet in het Britse leger, maar in het Russische en daarom praatte hij er liever niet over. De Duitse herder had ooit nog een hondenshow gewonnen, maar alleen omdat hij alle andere deelnemers had opgegeten. Alle drie voldeden ze dus wonderwel aan de maatstaven die Frederick K. Bower aan zijn personeel stelde.

Rustig en zelfverzekerd liepen ze hun ronde. Wie zou het wagen bij hen in de buurt te komen? Maar toen ze het bouwterrein naast Nieuw Bowerhuis opliepen, bleef de hond ineens stokstijf staan. Zijn oren kwamen rechtovereind en hij begon te grommen.

'Wat is er, Slubber?'

Slubber gromde nog harder.

'Zie jij iemand?' vroeg de andere bewaker.

'Nee, niemand.'

'Ik ook niet.'

Maar Slubber bleef grommen en was niet van zijn plaats te branden. Normaal zouden de bewakers er nauwelijks aandacht aan besteed hebben. De hond was zo stom, dat hij op een keer zijn eigen staart afgebeten had. Ze hadden echter net een kladje gekregen van de directeur, van Frederick K. Bower zelf, dat ze extra moesten opletten. *Uitkeiken naar een klein ventje met blont haar van een jaar of twaalf* had hij met koeienletters geschreven.

Ze speurden het hele bouwterrein af, keken achter de

barakken en onder de vrachtwagens, in de sloten en in het puin rond de hijskraan die hoog boven hen uittorende. Maar hoe hard Slubber ook bleef grommen, janken en schuimbekken, ze konden niemand vinden. Geen klein ventje met blond haar. Geen kip!

Maar goed dat ze niet omhoogkeken. Vanaf zo'n honderd meter hoogte staarde Robin op hen neer. Hij durfde nauwelijks te ademen, zo bang was hij dat ze hem zouden horen. Een paar meter boven hem klemde Mary zich vast, lijkbleek en de ogen stijf dichtgeknepen.

Zo wilde Robin Fredericks kantoor binnendringen: via de hijskraan. Zoals op alle bouwterreinen stond ook hier een kraan om stenen en andere materialen omhoog en omlaag te hijsen. De kraan was wel 150 meter hoog. Helemaal bovenaan, een meter of zes boven de stuurcabine, stak de lange kraanarm de lucht in. Door een gelukkig toeval reikte de arm tot net onder het raam van Fredericks kantoor. En omdat dat raam ruim honderd meter boven de grond lag, nam Frederick nooit de moeite het te sluiten.

De kraanarm was een goede zestig meter lang. Robin had het zich allemaal nogal eenvoudig voorgesteld: de kraan beklimmen, over de kraanarm tot bij het raam van Fredericks kantoor kruipen, op de vensterbank springen, naar binnen klimmen en de brandkast kraken.

Hoe onwaarschijnlijk het ook klinkt, een paar weken eerder zou hij nauwelijks een wenteltrap op hebben durven gaan, omdat hij een beetje last had van hoogtevrees. Maar zo is het toch met ons allemaal: als het echt nodig is, kun je veel meer dan je ooit had gedacht. En Robin had nu eenmaal geen keus. Een andere weg was er niet.

Eigenlijk was het ook allemaal best meegevallen, tot het moment dat de twee bewakers verschenen waren. Aan elke hijskraan zit een ladder. Daar klim je vrij makkelijk tegenop. Je wordt er alleen flink moe van omdat hij zo lang is. Maar toen Robin de voetstappen van de bewakers en het grommen van de hond had gehoord, had hij iets heel stoms gedaan: hij had naar beneden gekeken.

De twee bewakers waren niet groter dan luciferhoutjes. Het leek wel alsof hij kilometers hoog in de lucht zat. In gedachten zag hij zich al naar beneden tuimelen. Heel even werd hij onwel. Zijn vingers werden zo slap dat hij zich nauwelijks kon vastklampen. Zijn hart pompte als een razende. Zijn maag draaide om en zijn mond voelde nog droger aan dan een stuifduin in de Sahara.

Zodra de bewakers verdwenen waren, zuchtte hij eens heel diep en dwong zichzelf verder te klimmen. Sport voor sport hees hij zich naar boven. Hij wist dat het met hem gedaan was als hij weer duizelig werd.

Het is alleen maar een ladder, sprak hij zichzelf moed in. Aan de afstand die hem van de begane grond scheidde, dacht hij maar liever niet.

Na wat een eeuwigheid leek, kon hij zich eindelijk laten vallen op het kleine platform aan het begin van de kraanarm. Mary zat daar al een tijdje op hem te wachten. Ze hijgde nog steeds van uitputting en zag zo bleek als een doek (een witte doek, welteverstaan).

‘We halen het nooit,’ zuchtte ze. ‘Nog in geen honderd jaar.’

‘Een makkie,’ zei Robin.

De huichelaar! In tegenstelling tot de ladder had de kraanarm geen arm- en voetsteunen op regelmatige afstanden. Boven de kabel die over de hele lengte van de kraanarm liep, zigzagden stalen dwarsbalken. Tussen elk van die balken gaapten grote gaten. Er waren wel handgrepen waar je je aan vast kon houden, maar die waren gemaakt op maat van een volwassene. Robin en Mary konden er nauwelijks bij. En dat was nog niet alles. Wat beneden een briesje leek, was hierboven een zware storm. De hele kraanarm zwaaide heen en weer en ijzige windstoten verkleumden hen tot op het bot.

Toch moesten ze de kraanarm op.

‘Niet naar beneden kijken, Robin,’ zei Mary. ‘Denk maar dat je een rivier oversteekt en van de ene steen op de andere springt.’

‘In windkracht negen?’ vroeg Robin met een geknepen stemmetje.

Voetje voor voetje schuifelden ze over de kraanarm, recht tegen de felle wind in. Mary ging voorop, met Robin pal achter zich. Ze keek strak voor zich uit en had alleen maar oog voor de afstand tussen de verschillende dwarsbalken. Een te grote of te kleine stap en het was afgelopen met hen. Langzaam maar zeker kwamen ze dichter bij Nieuw Bowerhuis.

Opeens gleed Mary uit.

Zo dicht bij het doel wilde ze te snel zijn. Eén afgrijselijk moment tolde de wereld om haar heen.

Maar Robin liet zijn zusje niet zomaar naar beneden storten. Zonder nadenken liet hij zich voorover op de balk vallen en kon nog net haar rok grijpen. Al werd hij door haar gewicht bijna van de balk getrokken, toch waagde hij het haar arm te pakken en tegelijk haar rok los te laten. Kreunend en steunend sjorde hij haar omhoog tot ze eindelijk weer naast hem zat.

Wonder boven wonder stonden ze twintig minuten later aan het einde van de kraanarm. Daar, zo'n meter of dertig boven de grote haak die op en neer ging in de wind, was een ander klein platform waarop ze even konden uitblazen.

'Dat is toch te gek,' hijgde Mary. 'Een beetje kraanbestuurder doet zoiets in minder dan een minuut.'

'Ik vind het knap van ons,' zei Robin. 'Misschien kunnen we later gaan werken als kraanbestuurder. Of we doen het erbij als vakantiebaantje.'

'Het is altijd nog beter dan kranten rondbrengen,' lachte Mary.

Een kleine tien minuten later voelden ze zich weer in staat aan de laatste etappe te beginnen. Tussen het uiteinde van de kraanarm en de vensterbank van Fredericks kantoor gaapte een gat van een meter. Niet al te veel, maar als ze misten ...

Mary sprong eerst. Ze ademde diep en wierp zich voorover. Ze landde precies op de vensterbank en was een tel later in Fredericks kantoor verdwenen.

Robin had minder geluk. Ook hij kwam precies op de vensterbank terecht, maar omdat hij zwaarder was dan zijn zusje, begaf een deel van het beton het onder zijn voeten. Hij kon zich nog net vastklampen aan het raamkozijn. Wankelend en doodsbang hield hij zich in evenwicht, terwijl beneden grote brokken beton op het asfalt dreunden. In ijzige spanning wachtte hij wel een minuut lang, maar tot zijn grote opluchting kwam er niemand op het geluid af. Hij beet op zijn tanden en dwong zichzelf door het raam te kruipen. Uitgeput liet hij zich op het tapijt rollen.

'Waar bleef je toch?' vroeg Mary.

'Ik was nog even van het uitzicht aan het genieten,' hijgde Robin.

Hij was doodmoe, maar er was werk aan de winkel. Hij stond weer op, liep het kantoor door en stopte met een kleedje de kier onder de deur dicht. Vervolgens trok hij alle gordijnen dicht. Pas toen hij er absoluut zeker van was dat alles goed afgeschermd was, stak hij het licht aan.

Dat gaf een heerlijk gevoel van warmte en veiligheid. Mary had zich in een stoel genesteld en leek te slapen. Robin ging ook even zitten. Hij dacht aan Spin en Muss, aan vergiftigde bonbons en exploderende auto's, maar ook aan Meg en Sophocles en aan de *Droogzeiler*, de enige boot op het droge in heel Londen. Stel je voor dat zijn moeder of meneer Sylvester of een van zijn vriendjes op school hem bezig gezien had in het pakhuis van Fungus Voedingswaren of tijdens de klim naar Fredericks kantoor. Ondanks zijn vermoeidheid moest hij lachen bij de gedachte.

'Mary?' zei hij.

'Hmmmmm?'

'Zal ik je eens wat vertellen ...'

'Nou?'

'Wedden dat niemand dit zal geloven. Nog in geen honderd jaar.'

12 DAAR GA JE, FREDERICK K. BOWER

‘Het is ook maar een computer. Net als zovele andere ...’ zei Robin.

‘Dat denk ik niet,’ mompelde Mary.

‘En gelijk heb je,’ zei de computer.

Robin en Mary keken elkaar verschrikt aan. De computer leek welwillend naar hen te knipperen. Zelfs zonder zijn Japanse accent zou het een verbazingwekkend apparaat geweest zijn. Het zag eruit als een gigantische piano, maar dan met een toetsenbord in plaats van een klavier en een beeldscherm in plaats van een muziekstandaard. Met zijn vingers aan het toetsenbord en zijn blik gericht op het scherm, leek het net of Robin een pianoconcert uitvoerde.

Nog een geluk trouwens dat de computer kon praten. Robin en Mary hadden op school wel iets over computers geleerd, maar het zou weken gekost hebben om uit te vinden waar al die toetsen en functies van deze speciale computer precies voor dienden. En met het programmeren van de computer om de brandkast te openen hadden ze rustig de rest van hun leven kunnen vullen.

Robin schraapte zijn keel. Hij voelde zich een beetje stom, praten tegen een machine deed hij tenslotte niet elke dag. ‘Pardon ... eh ... zei u iets?’ vroeg hij.

‘Ja, zeker. Ik ben een erektlisch sprekende computel, made in Japan.’

‘Erek Tliesch?’ vroeg Mary verbaasd.

‘Ik denk dat hij elektrisch bedoelt,’ zei Robin. Hij wendde zich weer tot de computer. ‘Kunt u de brandkast openen?’ informeerde hij beleefd.

Het beeldscherm flikkerde. De spoelen wentelden een halve slag rond en de lampjes knipoogden. ‘Startknop indrukken om proglamma voor openen blandkast te starten.’

Robin liet zijn blik over het toetsenbord dwalen. Met een ferme tik drukte hij een rode knop in waarop *Start* stond. Even gebeurde er niets, toen verscheen het getal 5:00 op het scherm. Het veranderde bijna meteen in 4:59, 4:58 en zo verder. Het leek wel alsof de computer begonnen was met het aftellen van vijf minuten.

‘Voilà!’ zei Robin tegen Mary. ‘Makkelijk, ik zei het toch.’

Daar was Mary nog niet zo van overtuigd. ‘Waar zijn die cijfers voor?’ vroeg ze.

‘Het duurt natuurlijk vijf minuten voor de brandkast open is.’

Twintig seconden verstreken.

‘Hallo? Erek?’ Mary boog zich voorover en keek de computer aan. ‘Waarom laat je ons de tijd zien?’

‘Jullie heb nog vier minuten en eenendertig seconden om het wachtwoold in te toetsen,’ deelde de computer haar mee.

‘Maar we weten niet wat het wachtwoord is.’

‘Dan moet erektlisch sprekende computel over precies vier minuten en zesentwintig seconden halakili plegen.’

'Bedoel je dat je dan ... jezelf opblaast?' stamelde Robin.

'Ja! Geleldige knal. Gebouw kapot. Helemaal. Mensen ook.'

Het lachen was Robin nu wel vergaan.

'Doe iets!' riep Mary.

'Als verkeerde woold ingetoetst wordt, meteen BOEM,' deelde de computer ongevraagd mee. 'Nog vier minuten en vier seconden om het wachtwoold in te toetsen.'

'Laat maar!' snauwde Robin. 'Schakel jezelf uit. Ga slapen. Doe alsof ik nooit ...'

'Onmogelijk!' De computer klonk bijna bedroefd. 'Proglamma gestart. Kan niet terug. Nog drie minuten en vijftig seconden ...'

Er was nog een handigheidje aan Fredericks computer waar Robin en Mary geen weet van hadden. Als je de *Start*-knop tweemaal indrukte, werkte alles normaal. Maar als je de knop slechts eenmaal indrukte, zoals Robin had gedaan, dan ging zowel in Fredericks huis in Hampstead als bij Scotland Yard een alarm af.

Frederick was net aan het poedelen in zijn reuzenbad. Dat was zo groot dat je een ladder nodig had om erin en eruit te klimmen. In plaats van een opblaaseend dreef er een echte eend in rond. Frederick, met een roze badmuts op het hoofd en een schaal bonbons binnen handbereik, wilde net een bonbon in zijn mond proppen toen een rood lampje boven de badkuip aan en uit begon te flikkeren.

'Wat?' begon Frederick, maar de rest ging verloren in de

slok heet water die hij naar binnen kreeg. 'Bwááááh!' Hij spuugde het water uit, stootte per ongeluk de schaal met bonbons in het bad (waar ze meteen door de eend naar binnen geslokt werden) en klom zo snel als hij maar kon de ladder op. Spiernaakt draafde hij over de gang.

'Gervaise!' brulde hij, terwijl hij water en zeep om zich heen sproeide.

'Uuurk?' vroeg Gervaise, die zijn hoofd om de deur van de televisiekamer stak.

'Rij de Rolls voor!' snauwde Frederick. 'Meteen!'

Zonder één seconde te verliezen en in het geheel niet van zijn stuk gebracht door het feit dat zijn meester naakt voor hem stond, vloog Gervaise naar de garage.

Op datzelfde moment werkte Hercule Cramp op zijn kantoor bij Scotland Yard een verlaat avondmaal naar binnen. Op het menu stonden slavinken en aardappelpuree, maar na wat zich op de zuidoever van de Thames had afgespeeld, liet Cramp de puree maar liever onaangeroerd. Hackney, die maar zelden at, zat tegenover hem, een sigaret tussen de lippen.

'Die vrouw met de motor,' zei Cramp terwijl hij met zijn vork in het vlees prikte, 'die ... Meg. Geloof jij wat ze zegt?'

Hackney dacht even na. 'Ja, meneer,' zei hij toen, terwijl hij een rookwolk uitblies. 'Haar verhaal is zo onwaarschijnlijk dat het wel waar moet zijn.'

Cramp stak een slavink omhoog op de punt van zijn vork. 'Dus Frederick Bower is eigenlijk Robin West en Robin West is eigenlijk Frederick Bower. Dat is toch ongelooflijk, Acne. En als we geen bewijs ...'

Op dat moment begon een alarm in de muur achter Cramp luid te rinkelen. Cramp draaide zich zo snel om dat de slavink van zijn vork vloog en achter een archiefkast belandde.

'Wat is dat?' schreeuwde hij.

'Dat is het alarm in Nieuw Bowerhuis,' zei Hackney. 'Iemand probeert daar in te breken.'

'Wie?'

'Misschien wel Robin West.'

'Opschieten dan!'

En zo gierden even later twee auto's door nachtelijk Londen naar Nieuw Bowerhuis, waar Robin en Mary nog met de computer in de weer waren.

Op het beeldscherm stond 2:13. Nog maar twee minuten.

'Laten we ervandoor gaan!' riep Mary.

'Daar hebben we de tijd niet voor!' Robin streek met zijn hand door zijn haar. 'Voor we weg zijn, vliegt de hele zaak in de lucht. We moeten nadenken ...'

'Waarover? Onze begrafenissen?'

'Nee, het wachtwoord. Toe nou, Mary. We weten dat het een woord van negen letters is. En het is iets waar Frederick het meeste van houdt. Daar moeten we toch achter kunnen komen.'

'Maar we mogen ons niet vergissen,' kreunde Mary.

'Die verdomde computer ...' gromde Robin.

'Veldomd?' vroeg de computer.

De cijfers op het scherm volgden elkaar snel op. 2:00, 1:59, 1:58 ...

Robin dwong zichzelf na te denken. De computer knipperde nu aan één stuk door met zijn lampjes, de spoelen wentelden rond en rond. Zachtjes begon hij het Ave Maria te neuriën.

'Een woord van negen letters ...' zei Robin.

'Explosies misschien,' aarzelde Mary.

'Nee, daar houdt Frederick niet van!'

'Wel als wij mee de lucht in gaan.'

Robin liet allerlei woorden de revue passeren, terwijl hij gejaagd de letters telde. Dat was verdraaid moeilijk zo zonder pen en papier. Wat wist hij nou helemaal van Frederick? Waar hield Frederick het meeste van?

'Eh ... investering?' vroeg Mary.

Robin schudde zijn hoofd. 'Te veel letters.' Hij dacht koortsachtig na. Het standbeeld voor Nieuw Bowerhuis flitste door zijn hoofd. 'Lolly ... lolly's ...' mompelde hij.

'Lolly's?'

'Frederick is dol op lolly's. Dat standbeeld, weet je wel, daar houdt hij een lolly vast en als liftboy kon ik gratis lolly's krijgen. Maar lolly's heeft maar zes letters.'

'Lolly'tje dan? Dat zijn wel negen letters,' opperde Mary.

'Nee, Frederick houdt niet van kleine dingen. Zeker niet als het lolly's zijn.'

'Chocolade dan? Frederick houdt natuurlijk ook van chocolade.'

Robin telde op zijn vingers de letters na. Negen! Chocolade was een woord dat Frederick niet zou vergeten. Misschien ...

'Jaja,' riep Mary.

'Het zou best kunnen ...'

'Doe het dan!'

De cijfers op het scherm leken steeds sneller te gaan: 1:02, 1:01, 1:00, 0:59 ...

Robin keek gejaagd naar het toetsenbord. Zijn haar plakte aan zijn voorhoofd en in zijn nek voelde hij het zweet prikken. Hij strekte zijn wijsvinger en hield die boven de c, maar zijn hand beefde zo erg, dat hij bang was de verkeerde toets te raken.

'Chocolade,' fluisterde hij.

Het kon toch! Negen letters. Iets waar Frederick gek op was. Maar als het verkeerd was ...

0:17, 0:16, 0:15 ...

'Nu of nooit!' dacht hij.

'Opzij!' riep Mary.

Ze duwde Robin weg van het toetsenbord.

'Mary ...' begon hij.

Mary's ogen blonken. 'Een woord van negen letters. Iets waar Frederick van houdt. Iets wat hij niet kan vergeten ...'

'Ja, maar ...'

'Ik heb het!'

En vóór Robin haar kon tegenhouden, tikte ze negen letters in.

Er gebeurde helemaal niets.

0:05, 0:04, 0:03 ...

Robin wrong zich langs zijn zusje en drukte op de invoertoets.

0:02.

Er klonk een luid gezoem. Achter hen gleed langzaam de deur van de brandkast open. Allebei stonden ze er zwijgend naar te kijken.

'Dat was op het nippeltje,' zuchtte de computer.

Robin omhelsde zijn zusje. 'Mary,' zei hij, 'je bent een genie ... Ik zag niet eens wat je tikte. Hoe wist je dat het chocolade niet kon zijn?'

Mary trilde nog van alle doorstane spanning.

'Door de brief bij de doos bonbons die we van Frederick hebben gekregen. We weten niet veel van Frederick, maar wel dat hij niet kan spellen. Chocolade is een veel te moeilijk woord voor hem.'

'Maar wat was het dan wel?'

Mary lachte. 'Het is eigenlijk heel makkelijk, je moet er alleen net aan denken,' zei ze. 'Het moest niet alleen een woord zijn dat hij niet kon vergeten, maar ook een woord dat hij goed kon spellen. Het was zijn eigen naam: FREDERICK.'

'En van Frederick houdt hij meer dan van wat ook ter wereld,' vulde Robin aan.

'Voer Frederick K. Bower in,' lachte Mary.

Ook Robin lachte. 'En nu naar de brandkast,' zei hij. 'Als de geboorteakte er nu ook maar in ligt! Dan hebben we het allemaal niet voor niets gedaan.'

En ja, hoor. Eerst kwamen de foto van Robin en de drie brieven die Meg aan Sir Montague Bower geschreven had, tevoorschijn.

Daarna volgden een paar krantenknipsels over de geboorte van Sir Montagues zoon en erfgenaam. Daarin waren ook een paar foto's afgedrukt van een baby die meer op Robin dan op Frederick leek. Ze waren dus genomen voor de baby's verwisseld waren.

Het belangrijkste document hadden ze tot het laatst bewaard: een kopie van Robins geboorteakte waarin de moedervlek werd beschreven die nu bij Frederick te vinden was.

'Hiermee kunnen we alles bewijzen,' zei Robin.

'We hebben het!' jubelde Mary.

'Handen omhoog,' brulde Frederick.

Geschrokken draaiden Robin en Mary zich om. In de deuropening stond Frederick Bower met een pistool in zijn hand. Naast hem stond Gervaise gemeen te grijnzen.

Robin en Mary waren zo verdiept geweest in de documenten dat ze de deur niet open hadden horen gaan. En nu was het te laat. Frederick trapte de deur achter zich dicht en deed hem op slot. Ze zaten in de val.

'Sta stil,' gebood Frederick, terwijl hij met zijn pistool zwaaide. Hij graaide de papieren uit Robins handen, smeet ze in de brandkast en deed hem weer op slot. Daarna ging hij achter zijn bureau zitten.

Robin liet zijn armen zakken. Hij zou Frederick wel eens laten zien dat hij helemaal niet bang voor hem was, al moest hij er zijn leven voor geven. Het was toch al een verloren zaak.

'Wat heb je in mijn kantoor te zoeken?' grijnsde Frederick.

'Míjn kantoor, zul je bedoelen,' zei Robin uitdagend.

'Hoe wist je dat de papieren hier waren?' vroeg Frederick.

'Die liftboy vanmiddag, dat was ik! En ik hoorde alles wat meneer Slime zei.'

'Dat misbaksel van een Slime!' gilde Frederick. 'Ik had hem allang de straat op moeten schoppen. En die nietsnut van een Ball met hem. Ik zal ze krijgen. Gervaise! Volgende keer breek je alle botten die ze in hun lijf hebben. Een voor een! Maak gehakt van ze.'

'Uuuuurk!' gromde Gervaise blij.

Mary zei niets. Ze kon haar oren nauwelijks geloven. Ze had nooit kunnen denken dat de rijkste jongen van de wereld zich zo dom en verwend zou gedragen.

'Je denkt natuurlijk dat je slim bent,' zeurde Frederick.

'Ach, nu je het er toch over hebt ...' begon Robin.

'Nou, je bent niet slim. Helemaal niet zelfs. Ik heb nog nooit iemand ontmoet die zo stom is.'

'Hij is helemaal niet stom,' verdedigde Mary haar broer. 'Hij is maar mooi al je moordenaars te slim af geweest. En hij heeft de papieren gevonden.'

'De papieren!' herhaalde Frederick. Hij zwaaide met zijn pistool in haar richting. 'Oké, oké, hij heeft de papieren gevonden, maar veel lol zal hij er niet meer van hebben. Dadelijk haal ik ze uit de brandkast en dan hou ik er een lekker vlammetje onder ... Maar dat zullen jullie niet meer meemaken. Slim, hè!'

'Kunnen we geen vrienden worden?' vroeg Robin met zijn vriendelijkste glimlach.

'Vrienden!' Frederick ontplofte bijna. 'Ik heb geen vrienden. En als ik die wel had, zou ik jou zeker niet tot vriend nemen.'

Robin had Frederick graag een flinke dreun op zijn neus verkocht. Hij zou zich in ieder geval niet zonder slag of stoot laten neerschieten, daarvoor had hij al te veel meegemaakt. Maar helaas stond dat beest van een Gervaise te dichtbij. Eén beweging en hij zou vermorzeld worden tussen die grote spierbundels van armen. Hij kon geen kant meer op.

'Je kunt ons toch niet doodmaken,' zei Mary.

'Waarom niet?' sneerde Frederick. 'Ik kan met jullie doen wat ik wil.'

'Als je dat doet, gaat de politie hele vervelende vragen stellen,' zei Mary.

'De politie doet precies wat ik zeg,' viel Frederick uit. 'Wie denken jullie wel dat je bent? Een stelletje gemene boeven! Als ik jullie van kant maak, krijg ik er waarschijnlijk nog een medaille voor ook.'

Hij liep naar het open raam en schoof het gordijn weg dat Robin dichtgetrokken had. 'Hoe ben je hier trouwens binnengekomen?' vroeg hij aan Robin.

'Langs de hijskraan.'

'En dat moet ik geloven?'

'Toch is het zo.'

Ondanks zijn haat voelde Frederick een ogenblik lang bewondering voor Robin. Zelf was hij nog nooit ergens tegenop geklommen. Voor veel lichaamsbeweging was hij totaal ongeschikt. Maar zijn bewondering maakte hem alleen maar gemener. Dat Robin iets kon wat hij, de rijkste jongen van de wereld, niet kon, was meer dan hij kon verdragen.

Met een gemene grijns trok hij het raam nog verder open. 'Je bent door het raam naar binnen gekomen, dan mag je door het raam ook weer naar buiten. Gervaise!'

Gervaise stommelde gehoorzaam dichterbij en legde een grote klauw op de schouders van Robin en Mary.

'Als de politie komt,' legde Frederick uit, 'dan zeggen we dat jullie langs de kraan wilden ontsnappen en gevallen zijn. Zo blijft er van jullie alleen maar tomatenpuree over en krijg ik eindelijk weer wat rust om van mijn onmetelijke rijkdom te genieten.'

'Dat kun je niet menen!' schreeuwde Robin.

'Ach, schei toch uit!' blafte Frederick. 'Jullie hebben me alleen maar ellende bezorgd. Ik wou dat ik jullie gewoon met rust had gelaten. Dan was er helemaal niks aan de hand geweest.'

Met zijn rug naar het open raam nam Frederick zijn hulpeloze slachtoffers nog eens goed op. 'Gooi ze uit het raam,' beval hij toen. 'Ik wil ze nooit meer zien. Nooit meer.'

Hoe Robin en Mary ook vochten en spartelden, voor die bruut van een Gervaise waren ze geen partij. Ongenadig begon hij ze naar het open raam te sleuren.

Mary kon het niet langer verdragen. 'Alsjeblieft, Frederick,' smeekte ze.

Frederick deed net alsof hij het niet hoorde.

'Laat maar, Mary,' riep Robin, die wanhopig worstelde om aan de greep van Gervaise te ontkomen. 'Hij is gek. En hij heet niet eens Frederick. Dat is mijn naam. Hij heet Robin. Ja, jij, Robin Sponge!'

Toen Robin die naam uitsprak, leek het alsof er een stroomstoot door Fredericks lijf gejaagd werd. Hij wankelde, deed een stap achteruit, zijn gezicht vertrokken tot een masker van haat. 'Noem me niet zo!' schreeuwde hij. 'Waag het niet me ooit nog zo te noemen!'

Maar het kwaad was reeds geschied.

Bij het horen van de naam Robin Sponge had Gervaise Robin en Mary losgelaten. Even leek het alsof hij aan de grond genageld stond. Zijn mond viel open. Een onzekere lach sierde voor het eerst zijn brute trekken en onthulde een rij gebroken, grijze tanden. Hij bracht een van zijn massieve handen naar zijn voorhoofd en krabde aan zijn kale schedel. Een grote traan welde uit een van zijn ooghoeken en belandde met een sonore *plop* op het tapijt.

Gervaise heette voluit Gervaise Sponge. Twaalf jaar geleden was hij de dronken taxichauffeur geweest die trouwde met Ruby Sponge. Hij was de vader van een jongen die Robin genoemd was, maar over wie hij niets meer had vernomen nadat zijn vrouw naar Australië geëmigreerd was. Hij had een ander baantje gevonden en was ten slotte chauffeur en lijfwacht geworden van de rijkste jongen ter wereld. Van Frederick Bower. Maar Frederick was dus eigenlijk Robin Sponge. Frederick was zijn eigen zoon!

'Me jongen!' juichte hij.

'Gervaise!' brulde Frederick. 'Gooi die twee engerds uit het raam!'

'Me kleine jongen,' zuchtte Gervaise. 'Me eigen Robin!'

Hij snelde naar Frederick om hem te omhelzen.

Frederick raakte in paniek toen de reus snotterend en met uitgestoken armen op hem afkwam. Hij hief zijn pistool op en vuurde.

De kogel trof Gervaise in de borst.

Maar dat scheen hem niet te deren. Hij liep gewoon door, terwijl de tranen over zijn wangen stroomden en de glimlach niet van zijn lippen week.

Frederick vuurde opnieuw.

Maar toen was Gervaise al bij hem. Hij stortte zich op zijn zoon en knuffelde hem bijna dood met zijn kolenschoppen van handen. 'Me Robin,' kwijlde hij. Maar waarschijnlijk toch een beetje duizelig door de twee kogels in zijn borst, verstapte hij zich en viel voorover. In zijn val sleepte hij Frederick mee, die onder het uiten van een ijzingwekkende gil op de vensterbank belandde. Samen verdwenen ze in het duister van de nacht, de vader en de lang verloren gewaande zoon.

Op hetzelfde moment werd de deur ingetrapt. Dwars door het versplinterde hout duikelde commissaris Cramp het kantoor binnen. Hij rolde door tot hij met zijn hoofd tegen de zijkant van het bureau bonkte. Achter hem kwamen Hackney en vijf andere politiemannen binnen, allen met getrokken wapen.

Cramp wankelde omhoog en keek om zich heen. 'Ben jij Robin West?' vroeg hij.

'Ja ... min of meer,' antwoordde Robin.

'De echte Robin West is net uit het raam gevallen,' legde Mary uit.

'Al heette hij dan eigenlijk Robin Sponge,' voegde Robin daaraan toe.

'Zou iemand zo goed willen zijn me te vertellen wat hier aan de hand is?' kreunde Cramp.

'Help!' klonk het opeens. Het was de stem van Frederick.

Iedereen vloog naar het raam en keek naar buiten.

Een meter of dertig onder het raam van Fredericks kantoor zwaaide de haak van de kraan nog altijd heen en weer. Bij zijn val was Gervaise met zijn riem aan het zware, ijzeren ding blijven haken en daar spartelden ze nu in de lucht. Gervaise had Frederick nog altijd in zijn armen en bedolf hem onder de kussen.

'Verdraaid!' zei Cramp. 'Kom op, mannen.'

Zonder verder nog op Robin en Mary te letten, draafden ze de kamer uit om Frederick te redden.

Robin opende op zijn gemak de brandkast weer en haalde er de zo waardevolle papieren uit. 'Nou, dat was het dan, geloof ik,' zei hij.

'Dat was het dan,' beaamde Mary.

Robin legde zijn arm rond de schouders van zijn zusje.

Hij had honger, hij was moe en verlangde alleen nog maar naar een warme hap, een warm bad en een warm bed.

'We gaan naar huis,' zei hij.

En dat deden ze ook.

Wil je reageren op dit verhaal? Of wil je meer informatie?
Surf dan eens naar www.clavisbooks.com

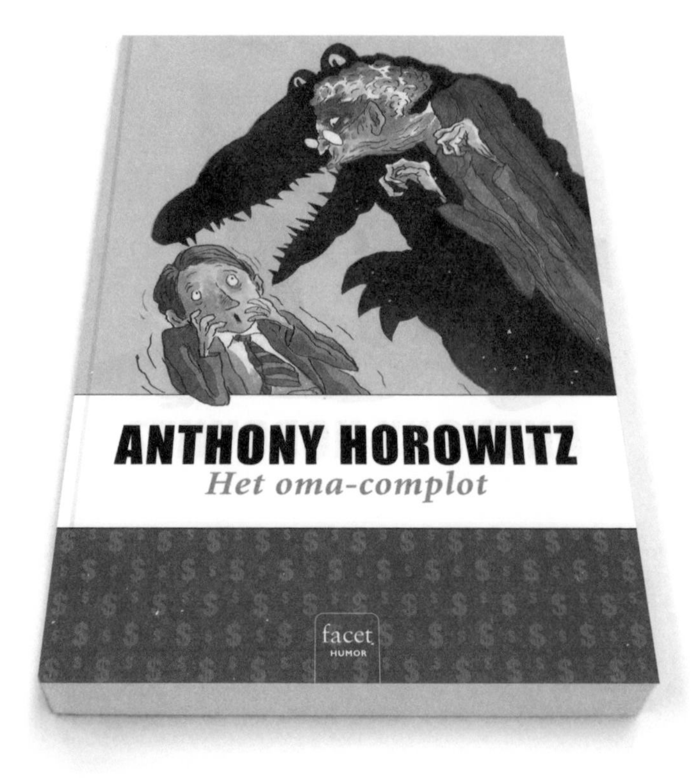

Joe Morgan heeft niet zo'n leuk leven. Zijn ouders zijn enorm rijk, maar kijken niet naar hem om. Vrienden heeft hij ook al niet. Maar het allerergste is zijn oma. Ze ruikt vies, geeft altijd kinderachtige cadeautjes en lijkt zijn naam maar niet te kunnen onthouden. Op een dag dringt het tot Joe door dat het allemaal opzet is. Bovendien is ze iets heel akeligs van plan, waar ze hem bij nodig heeft ...

Prijs: 12,95 EUR
ISBN 978 90 5016 522 8

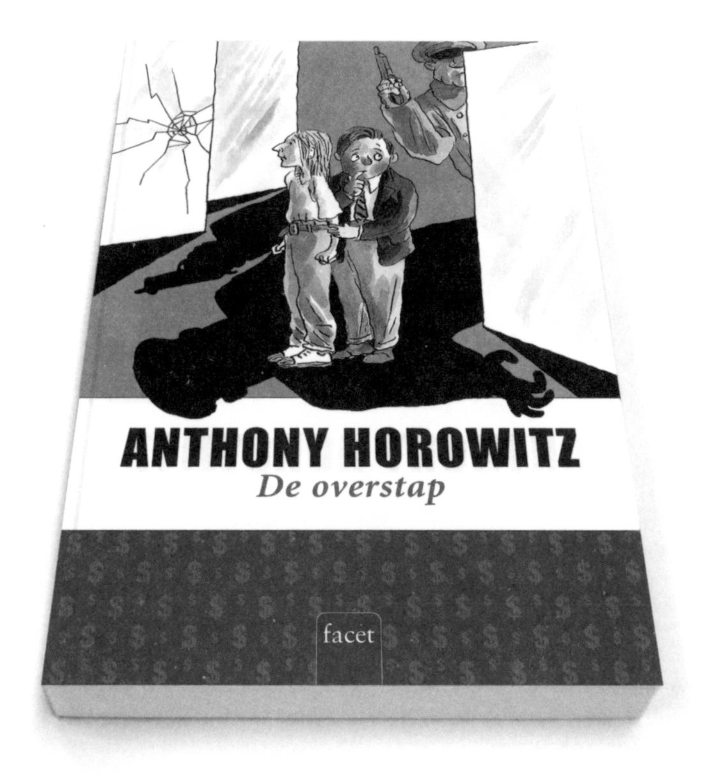

Als het miljonairszoontje Tad eens zijn zin niet krijgt, wenst hij dat hij iemand anders is. De volgende dag blijkt meteen dat hij zijn zin heeft gekregen, want hij wordt wakker als de armoedige Bob, zoon van kermisklanten. In zijn nieuwe bestaan wordt hij gedwongen tot misdaad. Ontvoering, achtervolging, moord en doodslag zijn allemaal ingrediënten van dit spannende verhaal, dat met vaart en humor is geschreven.

Prijs: 13,95 EUR
ISBN 978 90 5016 533 4